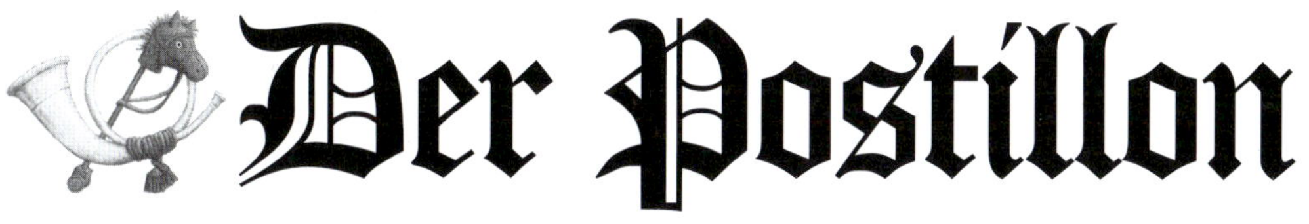

Ehrliche Nachrichten – unabhängig, schnell, seit 1845

WAHRES FÜR BARE€S

riva

Bibliografische Information der Deutschen Nationalbibliothek
Die Deutsche Nationalbibliothek verzeichnet diese Publikation in der Deutschen Nationalbibliografie.
Detaillierte bibliografische Daten sind im Internet über http://d-nb.de abrufbar.

Für Fragen und Anregungen:
info@rivaverlag.de

www.der-postillon.com

Originalausgabe
1. Auflage 2019

Nymphenburger Straße 86
D-80636 München
Tel.: 089 651285-0
Fax: 089 652096

Layout und Satz: Oliver Kroh (agentix – marketing & werbung)
Umschlaggestaltung: Manuela Amode
Umschlagabbildungen: Africa Studio/Shutterstock.com, Ekkasit Rakrotchit/Shutterstock.com, G.PAGOMENOS/Shutterstock.com, Innenministerium, Joerg Huettenhoelscher/Shutterstock.com, pio3/Shutterstock.com, Rainer Fuhrmann/Shutterstock.com, Wikimedia CC

Druck: Firmengruppe APPL, aprinta Druck, Wemding
Printed in Germany

ISBN Print 978-3-7423-0703-3
ISBN E-Book (PDF) 978-3-7453-0289-9
ISBN E-Book (EPUB, Mobi) 978-3-7453-0290-5

Für Frank,

der uns viel Geld gezahlt hat,
damit wir ihm dieses Buch widmen.

Vorwort

Äh ... Hmmm ... Püh ... Ähhhh. Vorwort Vorwort. Äh ... Puh. Da fällt mir grad aber gar nichts ein. Äh ... Äh ... Hmmmm ... Tja ... Äh ... Lieber Leser ... Äh ... Hmmmmm ... Ja, nee, das ist blöd. Puh ... Hmmm ... Boah. Völlige Schreibblockade. Hmmm ... Tja ... Ah! Nee. Hatten wir schon mal. Hmmmm ... Äh ... Ja ... Ööööh. Ist ja immerhin jetzt schon das fünfte Buch und jedes Mal muss man sich da irgendwas aus den Fingern saugen. Äh ... Püh. Buch. Vorwort ... Hmmm ... Ja ... Na ja. Äh ... Ja ... Ah, das sind doch jetzt schon ein paar Zeilen. Sehr schön. Muss reichen.

Viel Spaß beim Lesen

Ihr Chefredakteur

Wachsende Altersarmut: Immer mehr Rentner werden von Enten gefüttert

Duisburg (dpo) - Ein ungewöhnliches Bild bot sich heute Passanten in Duisburg dar. Zeugen wollen beobachtet haben, wie im Landschaftspark Duisburg Nord ein Rentner von einer Ente gefüttert wurde. Immer häufiger wird in Deutschland von ähnlichen Fällen berichtet.

»Die Enten bei uns im Park kommen ja immer gleich angeschwommen, wenn sich alte Leute auf eine Bank am Ufer setzen«, berichtet eine Augenzeugin. »Aber hier haben sie schnell gemerkt, dass bei dem nichts zu holen ist. Der kriegt gerade mal Mindestrente, vermute ich mal.«

Einer der Wasservögel sei daraufhin aus dem Wasser gekommen, zur Bank gewatschelt und habe den 69-Jährigen aus Mitleid mit altem Brot und Algen gefüttert. »Eine Schnecke, die ihm ebenfalls von der Ente angeboten wurde, hat er aber dann doch höflich abgelehnt.«

Zwischendurch habe die Ente immer wieder den Kopf geschüttelt und sich offenbar lauthals über die stetig steigende Altersarmut in Deutschland echauffiert. »Richtig wütend war die«, so die Augenzeugin. »Wenn ich es richtig verstanden habe, hatte sie für die Rentenpolitik der Bundesregierung nur ein Wort übrig: ›Quark‹«.

Fälle wie dieser ereignen sich derzeit immer häufiger in Deutschland – allein in den letzten sechs Monaten gab es entsprechende Berichte aus mehr als 140 Städten und Gemeinden:

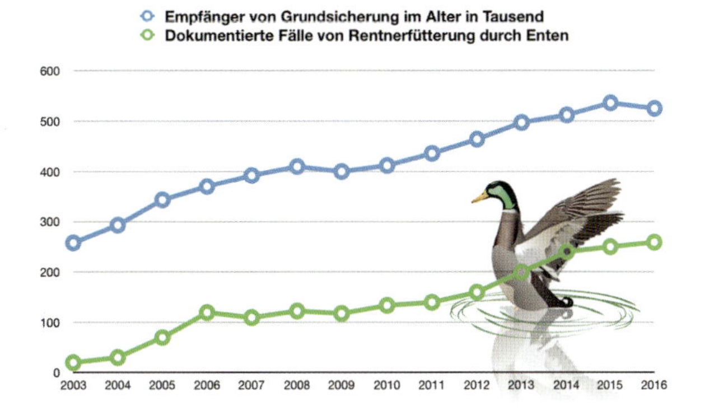

Sogar Tauben beteiligen sich vereinzelt mit kleinen Stückchen Dönerfleisch, Pommes oder anderen Essensresten, die sie in Deutschlands Innenstädten finden.

»Seit den großen Reformen der Regierung Schröder geht die Kurve schon nach oben«, erklärt Biologin Marion Kempa, die die Fälle derzeit untersucht. »Offenbar merken Enten als treueste Wegbegleiter alter Menschen instinktiv, wenn sich sonst niemand um sie kümmert.«

Doch nicht jeder ist von der Hilfsbereitschaft der Enten begeistert: Da die seltsamen Szenen immer wieder Touristen irritierten, hat Potsdam als erste Stadt ein Altenfütterungsverbot in allen städtischen Parks erlassen. Nur noch an einer speziell ausgewiesenen Futterstelle können Senioren künftig trockenes Brot erhalten.

Fünf verschiedene Papierkörbe: Microsoft führt Mülltrennung bei Dateien ein

Redmond (dpo) - Windows wird endlich grün: Ein ab heute verfügbares Update für Windows 10 bringt nach Angaben von Microsoft erstmals Mülltrennung auf heimische PCs. Umweltschützer kritisieren schon seit Jahren, dass auf Computern alle Dateien bislang ungeachtet ihres Formats im selben Mülleimer landen.

Statt des altbekannten Papierkorbs sind nach dem Update nun fünf verschiedenfarbige Behälter auf dem Desktop zu sehen – jeweils einer für Fotos, Videos, Musikdateien, Textdokumente und Restmüll. Nutzer werden dazu angehalten, ihre Daten entsprechend nachhaltig zu entsorgen.

Dateien mit folgenden Endungen gehören beispielsweise in die Fototonne: .jpg, .png, .psd, .tiff, .gif, .bmp, .svg

In den Papierkorb kommen: .doc, .docx, .pdf, .txt, .xls, .xlsx

Dateien mit folgenden Endungen gehören in den Altvideomüll: .wmv, .mp4, .avi, .mkv, .flv

In der Musiktonne landen: .wma, .mp3, .wav, .flac, .alac, .m4a, .

Die meisten anderen Dateien landen im Restmüll.

Beim Leeren des Mülleimers werden die entsorgten Dateien dann nicht einfach gelöscht, sondern nach Möglichkeit recycelt. Die Farbe aus alten Fotos wird so zum Beispiel genutzt, um den Farbeimer in Microsoft Paint ressourcenschonend zu befüllen. Alte Worddokumente wiederum werden zu neuen, etwas graueren Worddokumenten verarbeitet.

Einige besonders toxische und nicht recycelbare Dateien wie Computer-Viren, GILF-Pornovideos oder Helene-Fischer-Songs können allerdings nicht mehr direkt auf dem Desktop entsorgt werden, sondern müssen auf einen USB-Stick transferiert und anschließend auf dem Postweg zur Sondermüllentsorgung an Microsoft geschickt werden.

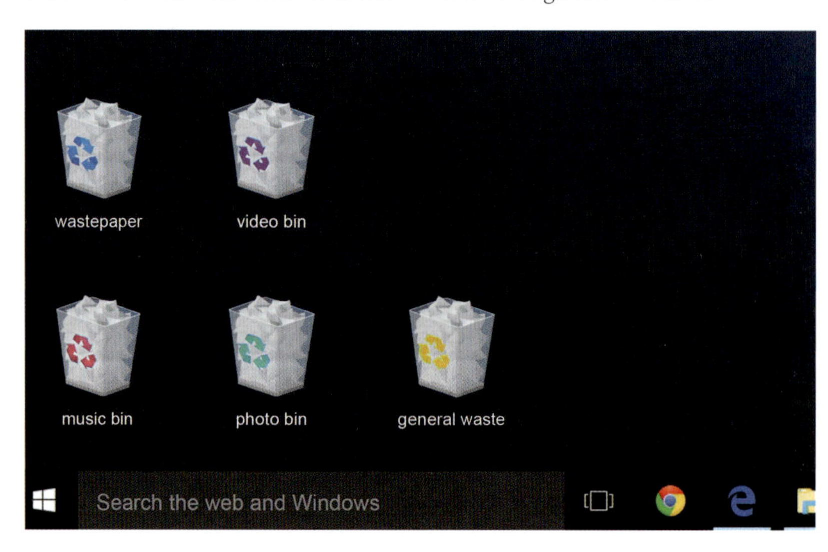

Hilferuf in Buchstabensuppe: Polizei stürmt Nudelfabrik

Heilbronn (dpo) - Razzia bei der Firma Knorr in Heilbronn: Eine Frau aus Erfurt hatte die Polizei alarmiert, nachdem sie in ihrer Buchstabensuppe einen erschütternden Hilferuf vorfand. Der Großeinsatz eines Sondereinsatzkommandos verlief heute allerdings ergebnislos.

»Ich hab gerade ganz normal meine Suppe gegessen, als plötzlich dieses Wort in meinem Löffel erschienen ist: HILFE«, berichtet Janine Eisinger (28), die den Fall ins Rollen brachte. »Da wusste ich, das muss eine hilflose Chinesin oder so in einer heruntergekommenen Fabrikanlage gewesen sein. Sowas habe ich schonmal irgendwo gelesen, dass sowas passieren kann und da wollte ich einfach nicht tatenlos zusehen.«

Insgesamt 100 Polizisten waren im Einsatz.

Die von Eisinger verständigte Polizei konnte schnell ermitteln, dass das Nudelwerk des Herstellers in Heilbronn sitzt, und begann nur rund 40 Minuten später mit der Stürmung des Gebäudes. Doch der Anfangsverdacht auf Ausbeutung oder Freiheitsberaubung bestätigte sich nicht. »Die Mitarbeiter bestätigten uns einzeln, dass sie sich freiwillig in der Fabrik aufhalten und für ihre Arbeit entlohnt werden«, erklärt ein Polizeisprecher.

Auch Fabrikleiter Frank Wesmer beteuert, dass alles mit rechten Dingen zugeht: »Womöglich hat sich einfach nur einer unserer Azubis einen üblen Scherz erlaubt, ohne die Konsequenzen zu überdenken. Wir versuchen jetzt zu rekonstruieren, wer in den vergangenen Wochen Zugang zu den Buchstaben H, I, L, F und E hatte.«

Dennoch wirft der Vorfall einen Schatten auf die Buchstabensuppennudelbranche, deren Produkte immer wieder Kunden mit kryptischen Nachrichten verunsichern.

Auch Janine Eisingers Suppe wird derzeit noch von Experten auf weitere Nachrichten ausgewertet – ein erster Verdacht, bei den zusätzlich sichergestellten Wörtern »QUFASG«, »PUURZTF« und »OKWDAEHT« könnte es sich um codierte Hinweise handeln, hat sich bislang jedoch nicht erhärtet.

Frau findet Gegenstand in Handtasche auf Anhieb

Hamburg (dpo) - Unglaublich, aber wahr! Offenbar hat eine gehetzte Frau ihren Lippenbalsam auf Anhieb in ihrer Tasche gefunden. Zugetragen hat sich das Ganze heute Morgen in der Hamburger Innenstadt. Die 29-Jährige, die auf dem Weg ins Büro war, steht seitdem unter Schock und kann sich vor Medienanfragen kaum retten.

Wissenschaftler schätzen, dass Frauen bis zu 29 Prozent ihrer Lebenszeit mit der Suche nach Gegenständen in ihrer Handtasche verbringen.

Nach eigener Aussage lief Katja Eckers gerade zügigen Schrittes von ihrer Wohnung zur U-Bahn-Station, als sie ihren Lippenbalsam hervorholen wollte. »Das ist eine kleine, runde Dose. Normalerweise finde ich die nie sofort, sondern muss immer erst zehn, zwanzig Minuten herumkramen.«

Doch diesmal passierte etwas Unglaubliches: »Ein Griff und zack, hatte ich die Dose in der Hand«, berichtet sie. »Und das bei all dem Zeug. Eine andere Frau, die mir entgegenlief, hat mich angeschaut, als hätte sie ein Gespenst gesehen und wollte von mir wissen, ob das *Versteckte Kamera* ist oder ob ich vielleicht was völlig anderes gesucht habe. Dann lachte sie hysterisch und ging kopfschüttelnd weiter.«

Statistisch gesehen ist ein solcher Vorfall eine absolute Seltenheit. »Betrachtet man allein die schiere Anzahl an Dingen, die sich in einer durchschnittlichen Damenhandtasche befinden, ist das sofortige gezielte Finden eines Gegenstandes praktisch unmöglich«, erklärt Prof. Dr. Spindler, der an der Universität Hamburg Statistik und Frauenhandtaschenkunde lehrt.

Er zählt auf: »Da wären üblicherweise Aspirin, Armbänder, Amulette, Abschminkwatte, Abdeckstift, Abendkleid, Adressbuch, Abwehrspray, Atemfrisch, Apfel, Abfall, Autoschlüssel, Aloe-Creme – und das sind erst die Dinge mit dem Anfangsbuchstaben A. Wenn man dann noch mit einbezieht, dass der gesuchte Gegenstand wie in diesem Fall nicht klimpert wie ein Schlüssel und im Gegensatz zu einem Handy auch nicht angerufen werden kann, um die Suche zu erleichtern, sinkt die Wahrscheinlichkeit weiter.«

Im Prinzip habe die Frau eine höhere Chance gehabt, in der Hamburger Innenstadt von einem Hai angegriffen zu werden, als ihren Lippenbalsam sofort zu finden.

Durchschnittlicher Inhalt einer Frauenhandtasche:

Der letzte dokumentierte Fall eines auf Anhieb gefundenen Gegenstands in einer Damenhandtasche stammt entsprechend auch aus dem 16. Jahrhundert. In der Stadtchronik Prags heißt es, dass die Frau des Geheimrats Hinrich von Weselstock »zur Verblyffung aller itzt ir Riechsalze mit einem Gryffe aus irer Weibstasch darobzog und fürderhin stante pede als Hechs verprennt ward«.

»Zur Veranschaulichung: Unter Historikern geht ja schon länger die Theorie um, dass das berühmte Bernsteinzimmer nach dem Zweiten Weltkrieg in eine Handtasche geriet und dort seit Jahrzehnten unentdeckt zwischen zwei Tampons, 13 alten Haarklammern und einer halbleeren Flasche Nasenspray liegt«, so Spindler.

Ob Zufall oder nicht – Katja Eckers hofft, dass ihre Zeit im Rampenlicht bald vorbei ist. »Irgendwie ist das unheimlich. Alle paar Minuten klingelt mein Handy, weil irgendein Journalist ein Interview möchte«, berichtet sie. Beantwortet hat sie bislang noch keine der Anfragen, weil ihr Telefon immer bereits aufgehört hat zu klingeln, wenn sie es hervorgekramt hat.

Clever: Diesel-Fahrer umgeht Fahrverbot, indem er einfach normales Benzin tankt

Stuttgart (dpo) - Carsten Eckholm fährt einen Diesel. Doch von den aktuellen Schreckensnachrichten in seiner Heimatstadt Stuttgart lässt er sich nicht ins Bockshorn jagen. Denn er hat einen simplen, aber genialen Trick herausgefunden, mit dem er ein Diesel-Fahrverbot ganz einfach umgeht.

Wir treffen den 34-jährigen Anlageberater an einer Tankstelle. Eckholm gibt sich bescheiden: »Trick würde ich es nicht mal nennen.« Seine Lösung sei eigentlich ziemlich naheliegend: »Ich tanke einfach ganz normales Benzin«, verrät er, während er den Tankdeckel seines Diesel-SUV öffnet und den Zapfhahn mit der Aufschrift »Super/E10« hineinsteckt. »Dann kann mir keiner was! Vorher hab ich das Auto natürlich bis auf Reserve leergefahren, damit kein Diesel mehr im Tank ist.«

Bei aller Euphorie sei ihm selbstverständlich bewusst, dass seine Strategie auch einen Haken habe: »Klar. Benzin ist halt ne ganze Ecke teurer als Diesel«, so der 34-Jährige, während er an der Kasse 71,01 Euro für Zapfsäule 7 bezahlt. »Aber das ist es mir wert, wenn ich weiterhin in der Innenstadt fahren darf.«

Wenig später braust er in seinem laut knatternden Wagen davon.

Paris (dpo) - Eklat bei Donald Trumps Frankreich-Reise: Der US-Präsident zeigte sich bei seinem Besuch in der französischen Hauptstadt entsetzt darüber, dass die Franzosen offenbar den Turm des berühmten amerikanischen »Paris Las Vegas« Hotels in Nevada schamlos kopiert haben. Er wehre sich dagegen, dass sich andere Nationen einfach so US-amerikanisches Kulturgut aneignen, erklärte Trump.

Trump empört, dass Franzosen Turm von »Paris Las Vegas« Hotel kopiert haben

Zuvor war der Präsident bereits stutzig geworden, als er erfuhr, dass die französische Hauptstadt ebenfalls »Paris« heißt – wie das berühmte Hotel in Las Vegas. »Aber das hätte ja noch ein Zufall sein können«, so Trump. »Ist ja ein Allerweltsname. Immerhin heißt auch Paris Hilton Paris.«

Doch als er dann den Turm mit seiner markanten Form sah, war das dreiste Plagiat unverkennbar:

»Ich erkenne eine billige Kopie, wenn ich sie sehe«, soll sich der US-Präsident gegenüber Frankreichs Präsidenten Emmanuel Macron empört haben. »Das ist fast 1:1 eine Kopie des Turms vor dem ›Paris Las Vegas‹. Mit Casinos und Hotels kenne ich mich aus.«

Einwände seines Gastgebers Emmanuel Macron ließ der verärgerte Trump nicht gelten: »Er hatte die Dreistigkeit, auch noch zu behaupten, es sei exakt andersherum gewesen. Als hätte das großartigste Land der Welt es nötig, von anderen zu kopieren.«

Tatsächlich kopiere die halbe Welt amerikanische Wahrzeichen: »In Ägypten soll es mehrere Gebäude geben, die einfach nur schlechte Nachbauten des berühmten Luxor-Casinos in Las Vegas sind, und in China gleich mehrere komplette Städte, die aussehen wie Chinatown in New York.«

Trump erklärte, er werde sich dafür einsetzen, dass die frechen Plagiatoren weltweit die Kopien entweder abreißen oder den USA Tantiemen zahlen werden. Andernfalls sei zu befürchten, dass irgendwann die Franzosen auch noch Kopien der Freiheitsstatue anfertigen.

Abiturienten machen Abschlussfahrt nach Amsterdam, um sich die vielen Museen anzugucken

Hamburg (dpo) - Schüler der elften Klasse des Zeppelin-Gymnasiums Emden haben sich mehrheitlich dazu entschlossen, zum Schulabschluss nach Amsterdam zu fahren. Vorangegangen war eine demokratische Wahl des Urlaubszieles. Einzige Bedingung der Schule: Kultur muss eine zentrale Rolle spielen.

»Ich bin ganz begeistert, wie sehr sich die Schüler für die Kunst und Kultur der Niederlande interessieren«, erklärt Deutsch-Lehrerin Illona Flönsen (52). »Wir haben ihnen diesmal völlig freie Hand gelassen bei der Entscheidung, wohin es gehen soll, und sofort hat einer von der letzten Bank reingerufen ›Amsterdam! Oder irgendwo anders in Holland!‹«

Andere Schüler nahmen diese Idee sofort auf und schließlich sprach sich eine große Mehrheit für die Niederlande als Reiseziel aus.

»Ich kann es kaum erwarten, mir die vielen kulturellen Sehenswürdigkeiten von Amsterdam reinzuziehen äh ... anzuschauen«, erklärt etwa der 18-jährige Luca Brechler. »Das Museum von, äh, van Gogh haben die, glaube ich, dann das ... ich sage mal Käsemuseum, der Louvre, dieses kleine Pissmännchen. Das muss man schon gesehen haben als junger Mensch. Genau.«

Illona Flönsen, die die Abschlussfahrt nach Amsterdam leiten wird, ist bereits dabei, das kulturelle Programm zusammenzustellen. »Noch mehr als alle Museen scheint die Schüler aber die örtliche Kaffeehauskultur zu interessieren«, berichtet sie. »Die Niederländer als Kolonialmacht waren ja große Kaffeehändler. Ich habe mich wegen der großen Nachfrage extra bereit erklärt, mit den Schülern eine Tour durch Amsterdams schönste Coffeeshops zu machen. Guten Kaffee mag ich ja schließlich auch.«

Nicht zuletzt aufgrund seiner faszinierenden Architektur gilt Amsterdam als eines der beliebtesten Reiseziele deutscher Abschlussklassen.

Bundeswehr-Studie: Wachsoldaten schlafen schlecht

Vorsicht beim Waldspaziergang! Bärenbisse können Borreliose übertragen

Berlin (dpo) - Sie lauern im Gras und im Unterholz auf ihre Beute: wilde Bären, die so manchen Spaziergänger im Wald heimlich befallen. Nun schlägt das Robert-Koch-Institut Alarm: Immer häufiger werden bei Bärenbissen gefährliche Borreliose-Erreger übertragen – besonders, wenn der Biss nicht sofort bemerkt und der Bär entfernt wird.

»Viele Leute glauben ja fälschlicherweise, Bärenbisse seien zwar lästig, aber nicht sehr gefährlich«, erklärt Sebastian Pfeifer vom Robert-Koch-Institut. »Doch schon ein einziger Biss kann gefährliche Krankheiten auslösen.«

Der Mediziner rät deshalb dazu, sich nach jedem Spaziergang gründlich zu untersuchen. Meist verstecken sich die lästigen Tiere hinter den Ohren, im Haaransatz oder im Schambereich.

Beinahe lautlos beißen sich die pelzigen Parasiten an ihrem Wirt fest und saugen ihn aus, bis sie auf das Zwölffache ihrer Größe angeschwollen sind.

Dieses alte Foto zeigt, wie ein Bär unauffällig einen nichts ahnenden Spaziergänger befällt und sich wenig später festbeißt:

Erst nach ein paar Tagen lässt sich der satte Bär zufrieden brummend wieder fallen. Doch dann ist es womöglich schon zu spät. Zwar hinterlässt der Biss selbst meist nur eine harmlose, wenige Zentimeter tiefe Fleischwunde, doch die Gefahr lauert im Verborgenen: Bakterien gelangen unbemerkt in die Blutbahn und können neben Borreliose auch andere Krankheiten wie das Boutonneuse-Fieber oder Anaplasmose verursachen.

Wenn Betroffene zu Hause bemerken, dass sie einen vollgesogenen Bären mit sich herumtragen, sollten sie keinesfalls panisch reagieren und das Tier quetschen oder mit Öl und anderen Substanzen malträtieren.

»Am sichersten ist es, ihn mit einem Glas Honig wegzulocken oder mit einer speziellen Bärenzange oder Bärenpinzette zu entfernen«, so Pfeifer.

Dabei wird der Kopf gepackt und der Bär vorsichtig herausgezogen. Anschließend kann das Tier in Alkohol ertränkt,

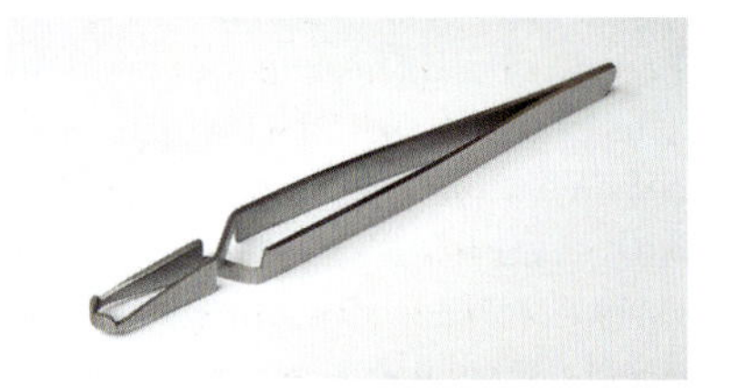

mit der Schuhsohle zerquetscht oder mit einer Nadel durchstochen und anschließend die Toilette heruntergespült werden.

Schokoladenverkauf rückläufig: Milka eröffnet eigene Metzgereien

Lörrach (dpo) - Der Schokoladenhersteller Milka zieht Konsequenzen aus rückläufigen Absatzzahlen: In einer neuen Linie von Fleischprodukten soll ein Großteil der bekannten lilafarbenen Kühe des Konzerns künftig gewinnbringender eingesetzt werden.

»Weil wir schon seit geraumer Zeit nicht mehr genug Schokolade verkaufen, bleiben wir immer häufiger auf der Milch unserer Alpenkühe sitzen«, erklärte ein Sprecher von Milka. Da die Tiere zudem kostspielig im Unterhalt seien, versuche man nun, zwei Fliegen mit einer Klappe zu schlagen, indem man den überschüssigen Bestand profitabel in der neuen Milka-Metzgerei verarbeite.

In den kommenden Wochen werden daher die Produkte »Milka Rinderhack«, »Milka Steak«, »Milka Gulasch« und »Milka Rouladen« in allen gängigen Supermarktketten angeboten werden:

Letztere sollen mit dem Slogan »Milka, die zarteste Versuchung, seit es Rindsroulade gibt.« beworben werden.

Das ebenfalls lilafarbene Fleisch von Milka-Kühen schmeckt wie herkömmliches Rindfleisch, ist jedoch wegen seines erhöhten Fett- und Zuckergehalts sehr kalorienreich und kostet im Schnitt das Anderthalbfache.

YouTube-Videos müssen künftig nach dem Anschauen zurückgespult werden

San Bruno (dpo) - YouTube will seine Nutzer zu mehr Rücksicht bewegen. Das Videoportal kündigte an, künftig User, die Videos nach dem Anschauen nicht zurückspulen, zur Strafe vorübergehend zu sperren – sie können dann unter Umständen mehrere Tage lang keine Videos mehr anschauen.

»Früher, als Videokassetten noch verbreitet waren, war es selbstverständlich, dass man nach dem Anschauen zurückspulte«, erklärt YouTube-Chefin Susan Wojcicki. »Im Internetzeitalter ist diese nützliche Gewohnheit leider verloren gegangen. Dagegen wollen wir etwas unternehmen.«

Das Google-Tochterunternehmen hat guten Grund, das Zurückspulen wieder zum festen Brauch zu machen: Derzeit beschäftigt YouTube mehr als 84.000 Mitarbeiter, die rund um die Uhr Videos von Hand zurückspulen, nachdem sie angesehen wurden.

Ihre Arbeit soll mit der neuen Regelung erleichtert werden – besonders bei viralen Videos, die in kurzer Zeit von Millionen Menschen angeschaut wurden, musste das sogenannte »Rewind-Team« immer wieder Überstunden schieben.

Und so will YouTube seine Nutzer zu mehr Rücksicht bewegen: Künftig wird nach jedem Video ein Hinweis eingeblendet, der dazu auffordert, zurück zum Anfang zu spulen. Dazu packt man mit dem Cursor den roten Kreis, der markiert, an welcher Stelle des Videos man sich befindet, und bewegt ihn zurück zum Anfang. Dadurch kann der nächste User das Video direkt anschauen.

Den neuen Richtlinien zufolge sollte der Timecode nach dem Zurückspulen wieder bei 00.00 starten. Aber auch 00:01 oder 00:02 werden von YouTube akzeptiert, da sie den nachfolgenden Nutzer nicht allzu sehr beeinträchtigen.

Wer seine Videos allerdings dreimal nicht zurückspult, wird für fünf Tage gesperrt und kann YouTube in dieser Zeit nicht nutzen. Für Wiederholungstäter stehen sogar noch härtere Sanktionen wie etwa ein einmonatiges Nutzungsverbot oder das automatische Abspielen von Bibis Song »How it is (wap bap ...)« bei jedem YouTube-Besuch bereit.

Eines der vielen Büros, in denen YouTube-Mitarbeiter Videos zurückspulen.

Wissenschaft nach wie vor ratlos, warum Meteoriten immer in Krater einschlagen

Washington (dpo) - Jedes Jahr stürzen sie zu Tausenden zur Erde – die Rede ist von Meteoriten. Doch auch nach Jahrzehnten intensiver Forschung bleibt ihr wichtigstes Geheimnis ungelüftet: Wieso schlagen die Brocken aus dem All praktisch ausnahmslos in Krater ein? Die Frage gilt als eines der letzten großen Rätsel der Wissenschaft.

»Es ist wie verhext«, erklärt NASA-Wissenschaftler Michael Fidget. »Egal, auf welchem Erdteil man sucht: Meteoriten werden nach Einschlägen immer in Kratern vorgefunden. Sie scheinen von runden Vertiefungen geradezu magisch angezogen zu werden.«

Doch was steckt dahinter? Magnetische Kräfte? Ein ausgeklügeltes Alien-Lenksystem? Purer Zufall? Bekannt ist lediglich, dass die Größe des Kraters mit der Größe des angezogenen Meteoriten zu korrelieren scheint: In den meisten Fällen wurden große Meteoriten in großen Kratern gefunden, kleine in eher kleinen.

Experimente, um das Rätsel zu lösen, gab es in der Vergangenheit immer wieder – doch der große Durchbruch blieb stets aus. So hob zuletzt im Jahr 2011 eine internationale Expertengruppe einen künstlichen Krater mit einem Durchmesser von zehn Kilometern aus. Anschließend beobachtete man aufmerksam den Sternenhimmel und wartete ab, ob ein Meteorit von dem Krater angezogen würde.

Zwar gab es einen Einschlag, doch verfehlte der Gesteinsbrocken die Stelle und schlug in einen ganz anderen, zu diesem Zeitpunkt noch unbekannten Krater in etwa 270 Kilometern Entfernung ein. Das Problem bleibt somit weiter ungelöst.

Werden Meteoriten von einer unbekannten Kraft gelenkt?

Beweisen konnte das Experiment lediglich, dass Meteoriten offenbar zwischen echten und menschengemachten Kratern unterscheiden können. Denn bis heute schlug kein einziger Asteroid in den künstlichen Krater ein.

Casio bringt 0,001-Megapixel-Kamera für UFO-Jäger auf den Markt

Shibuya (dpo) - Gute Nachrichten für alle UFO-Fans: Der Elektronikhersteller Casio hat heute eine Kamera vorgestellt, die es in sich hat. Mit einer Auflösung von 0,001 Megapixeln und der neuartigen Unschärfeautomatik »Auto-Defocus« ist das Gerät bestens für die Jagd auf UFOs, Geister und andere paranormale Wesen ausgestattet.

»Bisher mussten Ufologen einen Riesenaufwand betreiben, um mit herkömmlichen Kameras typische UFO-Bilder mit schlechter Auflösung, Verwackelung und Bildrauschen zu produzieren«, erklärt Casio-Gründer Kazuo Kashio bei der offiziellen Vorstellung der neuen Kamera. »Mit der UFOmatic 0,001 ist es selbst Laien unmöglich, klar erkennbare Bilder zu schießen.«

Möglich macht es ein integriertes Verwacklungs- und Unschärfemodul sowie spezielle Sensoren, die dafür sorgen, dass jedes Bild sowohl unter- als auch überbelichtet ist. Hinzu kommt ein interner Speicher, der Platz für maximal zwei Schnappschüsse bietet. »Man will eine UFO-Sichtung schließlich nicht mit Dutzenden oder gar Hunderten von Bildern überdokumentieren«, so Kashio.

Ein Vergleich zwischen einer herkömmlichen Kamera und der UFOmatic 0,001 macht den Unterschied deutlich:

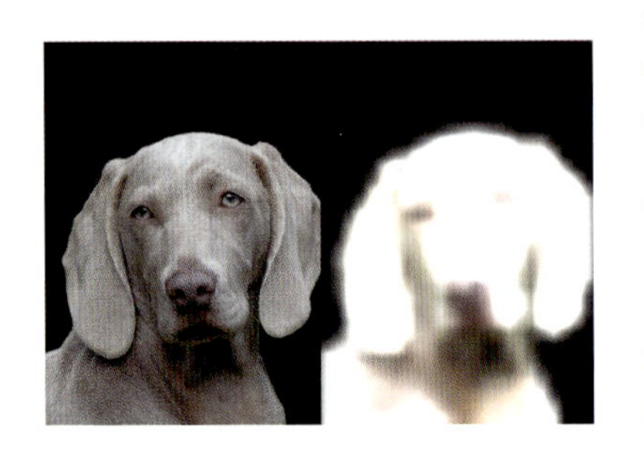

Während links eindeutig ein langweiliger Hund zu sehen ist, bleibt das UFOmatic-Bild rechts uneindeutig und lässt Raum für Spekulationen. Ist darauf ein Geist zu sehen? Ihre Schwiegermutter? Oder gar der legendäre Schneemensch aus dem Himalaya?

Wie effizient die Kamera ist, zeigen unabhängige Tests von Authentifikationsexperten: Bei neun von zehn mit der UFOmatic 0,001 angefertigten Bildern konnten selbst Profis nicht zweifelsfrei ausschließen, dass darauf kein UFO, Geist oder Fabelwesen zu erkennen ist – selbst wenn es sich beim eigentlichen Motiv lediglich um eine Straßenlaterne, einen Vogel oder eine Salatgurke handelte.

Die UFOmatic 0,001 ist angeblich in jedem gut sortierten UFO-Jäger-Bedarfsladen für 899 Euro erhältlich. Doch bisher hat sie noch niemand wirklich zu Gesicht bekommen. Manch einer bezweifelt gar ihre Existenz.

Nach Beschluss von »Ehe für alle«: Konservativer Christ plötzlich impotent und unfruchtbar

Bad Hersfeld (dpo) - Jahrelang hat Andreas Wettkamp vor den schlimmen Folgen gewarnt, die die »Ehe für alle« für die traditionelle Ehe zwischen Mann und Frau hat – jetzt ist die Katastrophe eingetreten. Seit heute Morgen ist der 32-Jährige plötzlich impotent und unfruchtbar, seine Beziehung steckt mit einem Mal in einer schweren Krise.

Nach eigenen Angaben lag Wettkamp gerade mit seiner Frau Esther im Bett und wollte nach dem Willen Gottes noch schnell ein frommes Kind zeugen, wie es in der Ehe vorgesehen ist, bevor er ins Büro musste. »Das Licht war aus. Wir waren in Missionarsstellung. Optimale Bedingungen also«, erklärt er.

Doch genau um 9:11 Uhr verlor er plötzlich seine Erektion und spürte, dass etwas nicht in Ordnung war. »Es fühlte sich an, als hätte eine böse Macht etwas Heiliges zerstört. Nur Sekunden später kam die Eilmeldung auf meinem Handy an, dass der Bundestag die Homo-Ehe beschlossen hat«, berichtet der gläubige Christ.

Seitdem ist Wettkamps Manneskraft völlig dahin. »Selbst der Gedanke an Angela Merkel, die tapfer mit ›Nein‹ gestimmt hat, hilft nicht viel«, so Wettkamp. Ein Besuch beim Arzt bestätigte außerdem einen weiteren schrecklichen Verdacht. Seine Spermienzahl ist von 300 Millionen auf 0 gefallen.

Nun steht das Ehepaar vor dem Aus. »Wozu sollen wir überhaupt noch verheiratet sein, wenn die Ehe jetzt nichts mehr wert ist?«, fragt Andreas Wettkamp anklagend. »Ich fürchte, diese Homosexuellen haben unsere Beziehung ein für alle Mal zerstört. Verdammt! Ich predige das schon seit Jahren, aber niemand wollte auf mich hören!«

Falls sich der unheimliche Homo-Fluch nicht bald von ihrer Ehe hebt, wollen die Wettkamps in ein Land ziehen, in dem ihre empfindliche Ehe noch besonders gegen Gotteslästerer und Sünder geschützt ist. »Ich hab zum Beispiel gelesen, dass im Iran Schwule von Hausdächern gestürzt werden«, so Wettkamp. »Mit so vorbildlichem staatlichem Schutz ist es sicher deutlich einfacher, unsere Ehe in göttlicher Liebe wachsen und gedeihen zu lassen.«

Trotz mieser Bezahlung und lausiger Arbeitszeiten: Immer mehr Azubis brechen Ausbildung ab

Berlin (dpo) - Was ist nur mit der Jugend von heute los? Trotz mieser Bezahlung und lausiger Arbeitszeiten wird laut dem Entwurf für den Berufsbildungsbericht 2018 mehr als jede vierte berufliche Ausbildung in Deutschland abgebrochen. In bestimmten Branchen liegen die Abbrecherquoten sogar noch deutlich höher. Die Arbeitgeber sind ratlos.

»Es ist einfach zum Haareraufen!«, seufzt Hotelchef Peter Hähnlein aus Halberstadt. »Über die Hälfte unserer Koch-Azubis bricht vorzeitig ab. Seit wann reichen schlechte Arbeitsbedingungen und unterirdische Bezahlung in Höhe von 460 Euro monatlich nicht mehr als Motivation?«

Hähnlein ist nicht der einzige Arbeitgeber, der vor einem Rätsel steht: Selbst in so prestigeträchtigen Berufen wie Restaurantfachkraft (1. Lehrjahr: 440 bis 710 Euro), Friseur (210 bis 450 Euro) oder Sicherheitskraft (410 bis 720 Euro) brechen Lehrlinge immer häufiger vorzeitig ab.

Knut Bentheim, Chef einer Sicherheitsfirma aus Baden-Baden fehlt dafür jedes Verständnis: »Der Jugend von heute fehlt es offenbar an der Bereitschaft, drei Jahre lang die gleichen Tätigkeiten auszuüben wie ausgelernte Kollegen und sich dafür mit einem Hungerlohn abspeisen zu lassen!«

Mysteriöserweise ist die Abbruchrate ausgerechnet bei jenen Jobs besonders hoch, bei denen nicht nur während der Ausbildung schlecht bezahlt wird, sondern auch nach ihrem erfolgreichen Abschluss.

Schuld an der Misere dürfte einmal mehr der sogenannte »Fachkräftemangel« sein. Dieser wurde erst kürzlich mit folgender Definition in den Duden aufgenommen: »Zustand, bei dem sich Arbeitgeber darüber beklagen, ohne faire Arbeitsbedingungen kein Personal mehr zu finden.«

Russische Hacker hinterlassen Pornoseiten in Browserverlauf von verheiratetem Mann

Coburg (Archiv) - Hat Putin denn gar kein Gewissen? Russische Hacker sind offenbar in den Computer eines verheirateten Mannes aus Coburg eingedrungen und haben in dessen Browserverlauf zahlreiche Links zu Pornoseiten hinterlassen. Bislang ist noch unklar, warum der Mann ins Visier des Kremls geriet.

»Bislang hielt ich Nachrichtenmeldungen über russische Hacks immer für Propaganda oder faule Ausreden der Politik«, erklärt Martin Quent, während er die Hand seiner Frau Edith hält. »Aber seit ich am eigenen Leib erfahren habe, wie das ist, wenn einem die Russen plötzlich etwas unterjubeln wollen, nehme ich dieses Thema sehr ernst.«

Schließlich hätte die Attacke aus Moskau fast die harmonische Ehe der Quents zerstört. »Ich war richtig wütend auf Martin, als ich am Sonntag diese Seiten im Browserverlauf fand«, berichtet Edith. »Er konnte mir keine Erklärung geben, wie sie dort hingeraten sein könnten. Aber dann wurde er plötzlich ganz bleich und stammelte nur ›Putin!‹«

Eine anschließende Analyse der verdächtigen Links durch das Ehepaar erhärtete den schrecklichen Verdacht: Mit Videotiteln wie »Sexy russian brunette plays with herself« oder »Versautes russisches Model hart rangenommen« weisen zumindest einige der Seiten eindeutig nach Moskau. Bei anderen Einträgen wie »big boobs asian taken by two strangers« wiederum scheint es sich um eine bewusst gelegte falsche Fährte der Hacker zu handeln.

So oder so ähnlich dürfte der Hacker ausgesehen haben.

»Ich weiß nicht, was Martin getan hat, dass Putin unsere Liebe mit solcher Vehemenz zerstören will«, erklärt Edith Quent. »Aber ich unterstütze meinen Schatz natürlich bedingungslos im Kampf gegen die dunklen Mächte Russlands. Er ist ein Opfer.«

Wie lange dieser Kampf andauern wird, weiß sie nicht. »Aber Martin hat mich schon gewarnt, dass solch eine feige Attacke jederzeit wieder passieren könnte. Ich bin innerlich darauf vorbereitet.«

Rechnet mit dem Schlimmsten: Lehrer übt mit Klassenrabauken

Schrecklicher Verdacht: Sprachen sich Autohersteller auch bei Anzahl der Räder ab?

Stuttgart, Wolfsburg, München, Ingolstadt (dpo) - Reichen die geheimen Absprachen der großen deutschen Automobilhersteller weiter als bislang angenommen? Laut Informationen, die dem Postillon exklusiv vorliegen, legten Daimler, Porsche, Audi, BMW und Volkswagen im Geheimen offenbar auch die Anzahl der Räder fest, die jeder Wagen haben sollte. So sollte dafür gesorgt werden, dass Wagen anderer Hersteller mit 3, 5, 6 oder mehr Rädern auf dem Markt keine Chance hatten.

»Der Kunde sollte ganz gezielt den Eindruck erhalten, dass ein ordentliches Auto nur vier Räder haben kann und alles andere Schwachsinn ist«, erklärt der Wirtschaftswissenschaftler Siegfried Berns, der im Auftrag des Postillon die Dokumente analysierte, auf denen die Absprachen festgehalten wurden. Autohersteller, die Modelle mit abweichender Radzahl produzieren wollten, wurden in der Vergangenheit gezielt vom Markt gedrängt oder noch vor Erreichen der Marktreife aufgekauft.

»Wer heute ein Auto mit fünf, sechs oder sieben Rädern kaufen will, findet so gut wie kein Angebot mehr, höchstens Oldtimer oder Spezialanfertigungen«, so Berns. »Der Markt ist fest im Griff des Vierradkartells.«

Neuwagen von VW – alle zuuuufällig mit vier Rädern

Dabei gehen Wissenschaftler davon aus, dass bereits ein Pkw mit sechs Rädern bis zu 50 Prozent schneller wäre als sein vierrädriges Äquivalent. Bei acht Rädern sei gar eine Verdoppelung der Leistung erwartbar.

Selbst was die Verteilung und Lage der Räder angeht, gab es zwischen den Mitgliedern des Kartells klare Vereinbarungen. In einem weiteren Dokument, das dem Postillon vorliegt, heißt es: »Die Räder sollen wie folgt aufgeteilt sein: zwo links, zwo rechts. Außerdem sollen die Räder unten am Auto befestigt sein und stets Straßenkontakt haben.« Kreativere Lösungen mit Rädern auf dem Dach oder im Wageninneren sehen die Vereinbarungen nicht vor.

Auf die Autokonzerne rollt nun eine Klagewelle zu. Einer der Geschädig-

Nicht ganz nach seiner Vorstellung: Zersägte Jungfrau verklagt Zauberkünstler

ten, Horst Knöchel, erzählt: »Ich wollte mir ein Auto mit sieben Rädern kaufen, zwei oben, fünf unten. Das war schon mein Traum, seit ich ein kleines Kind war. Aber egal an welchen Hersteller ich mich wandte, alle boten nur vierrädrige Autos an. Jetzt bin ich 79 und fahre überhaupt nicht mehr. Ich will mein Leben zurück!«

Unklar ist bislang noch, worin genau die Motivation bestand, die Radzahl an Autos auf exakt vier festzulegen. Experten vermuten, dass gegenüber fünf- und mehrrädrigen Autos Material gespart werden sollte: pro Rad immerhin ein Rad, ein Reifen, vier Muttern, mehrere bar Luft sowie eine halbe Achse. Einsparungen, die sich selbstverständlich nicht im Fahrzeugpreis für den Endkunden niederschlugen.

Hinter der Entscheidung, keine Autos mit weniger als vier Rädern zu bauen, wird hingegen eine weitere Absprache mit Vertretern der Trike-, Motorrad- und Einradindustrie vermutet, die sich dafür ihrerseits aus dem Vierradmarkt fernhalten.

Konnte nie sein Traumauto fahren, weil keiner Autos mit genügend Rädern produzierte: Horst Knöchel

Zur Deeskalation: Hamburger Polizei fährt Atomrakete auf

Hamburg (dpo) - Wird es doch noch ein ruhiges Gipfelwochenende? Nach ersten Krawallen hat die Hamburger Polizei am Rande des G20-Gipfels eine Atomrakete aufgefahren, um die angespannte Lage zu deeskalieren. Die Einsatzleitung behält sich vor, von der Bombe mit einer Sprengkraft von 1,3 Megatonnen Gebrauch zu machen, falls die Stimmung erneut kippen sollte.

»Wir wollen das Recht aller wahren, zu demonstrieren und ihre Meinung zu äußern«, so ein Sprecher der Hamburger Polizei. »Daher wollen wir die Atomrakete nur im absoluten Notfall einsetzen, etwa wenn jemand vermummt ist oder mit Steinen und Flaschen wirft.«

Die Atomrakete, die aus US-Militärbeständen stammt und der Hamburger Polizei für den Zeitraum des Gipfels zur Verfügung gestellt wurde, rollt derzeit durch Hamburg Altona.

Friedliche Demonstranten werden ausdrücklich aufgefordert, sich von Randalierern und anderen Chaoten fernzuhalten, da sonst laut Polizei nicht ausgeschlossen werden kann, dass »sie auch etwas abkriegen«.

G20-Staaten beschließen sozialere Weltordnung, weil Linksautonomer Twingo angezündet hat

Hamburg (dpo) - Wird jetzt alles gut? Weil ein Linksautonomer aus dem schwarzen Block während eines Protestes einen geparkten Twingo am Straßenrand angezündet hat, haben die geschockten Regierungschefs der G20-Staaten umgehend eine sozialere Weltordnung beschlossen.

»Die heroische Tat dieses Freiheitskämpfers hat uns umdenken lassen«, erklärten US-Präsident Donald Trump, der russische Präsident Wladimir Putin und Bundeskanzlerin Angela Merkel. »Der Raubtierkapitalismus, wie er bisher praktiziert wurde, ist hiermit offiziell beendet. Lasst uns alle im Feuerschein dieses brennenden Kleinwagens als Menschheit näher zusammenrücken.«

Auch alle kriegerischen Handlungen und Konflikte um Ressourcen weltweit sollen nach einstimmigem Beschluss aller G20-Teilnehmer sofort eingestellt werden. Zudem wurden umgehende Nahrungsmittellieferungen in Krisengebiete in Afrika beschlossen.

So stellt sich der Postillon-Zeichner die Zukunft vor.

Ex-Twingo-Besitzerin Ute Schölten sieht die überraschende Entwicklung mit gemischten Gefühlen. »Der Wagen war ein Geschenk meiner Eltern für mein bestandenes Abi und für mich das schönste Auto, das es gibt«, erklärt sie, während ihr eine Träne über die Wange läuft. »Aber gut, Weltfrieden und Gerechtigkeit für alle sind auf der anderen Seite schon eine Errungenschaft, das muss ich zugeben. Der junge Mann hatte ja offenbar seine Gründe, mein geliebtes Fahrzeug in Brand zu setzen.«

Nach dem bislang noch unbekannten Brandstifter wird nun händeringend gesucht. Ihm soll umgehend der Friedensnobelpreis sowie eine Belohnung in Höhe von 50 Millionen Euro überreicht werden.

Tor nicht zugelassen: Fans stehlen schusseligem Schiedsrichter Auto aus der Garage

Kapitalisten der Autoindustrie bedanken sich bei Linksextremisten für erhöhte Absatzzahlen

Frankfurt (dpo) - Mehrere Kapitalisten aus der Autobranche haben sich ausdrücklich bei jenen Antikapitalisten bedankt, die durch ihre Randale am Rande des G20-Gipfels in Hamburg für erhöhte Verkaufszahlen sorgten. Seit dem Chaos-Wochenende stiegen die Aktien von BMW, VW, Audi, Mercedes und zahlreichen anderen Marken an der Frankfurter Börse um 2 bis 7 Prozent.

»So viele Neuwagen wie zu Anfang dieser Woche verkaufen wir sonst nie«, frohlockte Elmar von Falkenstein, der Sprecher des Verbandes der Automobilindustrie. »Das letzte Mal, dass unsere Profite so durch die Decke gegangen sind, war nach Einführung der Abwrackprämie – und für die haben wir die Politik lange mit Lobbyismus bearbeiten müssen.«

Ob die Bezeichnung AUTOnome etwas damit zu tun hat, dass sie gut für die Autoindustrie sind?

Um die Herstellung der zahlreichen Neuwagen zu gewährleisten, habe man sofort neue Ressourcen wie Stahl und seltene Erden aus Krisenregionen angefordert. Zudem wurden weitere Arbeiter angestellt, um sie zu Dumpinglöhnen auszubeuten.

Zusätzlich zum herzlichen Dankeschön richtete die Autoindustrie einen Appell an die Linksextremisten, ihren Kampf gegen den Kapitalismus und das von ihnen so betitelte »Schweinesystem« nie aufzugeben.

Von Falkenstein: »Nicht vergessen: Das Abstellen eines brennenden Grillanzünders auf den Reifen ist immer noch die effizienteste Methode, um ein Auto abzufackeln.«

Ähnlich positive Zahlen wie die Autoindustrie vermeldeten Schaufensterhersteller (ein Hamburger Unternehmen entging gar der Insolvenz), die Sturmhauben-Industrie, Straßenbauunternehmen sowie Hersteller von Tränengas und Pfefferspray.

IKEA: Kleine Maria seit 1974 nicht aus dem Småland abgeholt worden

München (dpo) - Mit der Eröffnung der ersten IKEA-Filiale Deutschlands im Jahre 1974 wurden auch die Pforten des Kinderspiel-Paradieses »Småland« geöffnet. Eines der ersten dort abgegebenen Kinder ist Maria Eberdinger (52), die nun seit ihrem achten Lebensjahr auf ihre Eltern wartet – und das, obwohl die Betreuer mehrmals täglich ausrufen: »Die kleine Maria möchte aus dem Småland abgeholt werden!«

Verlassen darf Maria Eberdinger das Kinder-Spielland aus versicherungstechnischen Gründen leider nicht. Ihr wird täglich etwas aus der Kantine gebracht, manchmal teilen andere Kinder auch einen Kaugummi mit ihr, auch wenn ihr Süßes nicht mehr so schmeckt, seit sie erwachsen ist.

»Ich schätze meine Eltern können sich einfach nicht zwischen zwei Regalen entscheiden und brauchen deshalb ein bisschen länger, bis sie mich wieder abholen«, sagt Maria, während sie ihr morgendliches Bällebad nimmt. »Oder sie haben sich verlaufen. Das kommt wohl immer wieder vor. Bestimmt kommen sie bald.«

Bei den anderen Kindern ist die 52-Jährige beliebt. Immerhin kennt sie alle Spielgeräte im Småland auswendig. Eine Betreuerin erzählt: »Sie hilft auch hier und da und tröstet zum Beispiel Kinder, die weinen, weil sie von ihren Eltern nicht schnell genug wieder abgeholt wurden.« Sie wuschelt der mit 1,71 Meter nicht mehr ganz so kleinen Maria durch das Haar. »Gell, Mariechen, das machst du immer ganz doll.«

Maria Eberdinger ist inzwischen schon so lange Teil der IKEA-Familie, dass eine Kindersicherung-Türsperre aus dem neuesten Sortiment nach ihr benannt wurde.

Und einmal im Jahr, an ihrem Geburtstag, darf sie nicht nur soviel Hot Dogs und Köttbullar essen, wie sie möchte. Sie darf dann ausnahmsweise auch den ganzen Tag mit einem flachen Einkaufswagen durch die Halle surfen. »Aber nicht zu weit weg vom Spieleland. Nicht, dass ich doch noch meine Eltern verpasse!«

Basierend auf Erinnerungen der damals Achtjährigen sucht IKEA händeringend nach diesem Elternpaar.

»Die versperren mir ständig die Sicht«: Autofahrer fordert härtere Strafen gegen Gaffer

Köln (dpo) - Thomas Reibut ist sauer. Immer wenn der 36-jährige Kölner mit seinem Auto unterwegs ist und das seltene Glück hat, bei einem Unfall live dabei zu sein, kann er nichts erkennen, weil bereits zahlreiche Gaffer vor Ort sind und ihm die Sicht aufs Geschehen versperren. Deshalb fordert er, dass nun endlich härtere Strafen gegen das »sensationslüsterne Pack« verhängt werden.

Erst vergangene Woche fuhr der Einzelhandelskaufmann nach der Arbeit wie jeden Tag auf der A3, als er plötzlich auf der Gegenfahrbahn zwei ineinander verkeilte Autos sah. Doch was genau passiert war, konnte er nicht erkennen. Der Grund: rücksichtslose Gaffer.

»Ich bin sofort rechts ran gefahren auf den Seitenstreifen und habe versucht, aus der Entfernung zu erkennen, ob da wer blutet oder tot ist und was die Sanitäter machen. Aber glauben Sie, das war möglich? Natürlich nicht, denn überall standen Schaulustige herum, die mir die ganze Sicht versperrten.«

Er habe versucht, mit seinem Handy an die Unfallstelle heranzuzoomen, »doch auch das hat nicht funktioniert, weil ständig jemand sein dummes Handy ins Bild gehalten hat! Einfach nur erbärmlich!«

Aus diesem Grund schließt sich der 36-Jährige den jüngsten Forderungen von Verkehrsminister Alexander Dobrindt (CSU) an, der nach dem tragischen Busunglück in Bayern eine härte Vorgehensweise gegen Gaffer forderte. »Ich bin da total bei ihm. Es ist eine Schande, dass solche Menschen so ein besonderes Ereignis kaputt machen. Ich meine, sowas erlebt man ja nicht jeden Tag«, echauffiert sich der Kölner.

»Meistens sind das dann auch noch die gleichen Idioten, die im Stau keinen Platz für Einsatzfahrzeuge freihalten«, so Reibut. »Da müssen auch härtere Strafen her. Dann könnte ich wenigstens die Rettungsgasse nutzen, um schnell nach vorne zu kommen und noch was zu sehen.«

Neben Gaffern versperren leider auch Rettungskräfte oft die Sicht auf das Unfallgeschehen.

Kannibale geschnappt: Opfer blieb unverzehrt

Nach Schmadtke-Aus: Geißbock Hennes wird neuer Geschäftsführer des 1. FC Köln

Köln (dpo) - Nach der plötzlichen Trennung von Sportdirektor Jörg Schmadtke hat der Vorstand des 1. FC Köln einen offiziellen Nachfolger präsentiert: Geißbock Hennes soll den Verein bis auf Weiteres als Geschäftsführer Sport führen. Er sei bei den Fans seit Jahren beliebt und kenne den Club wie kaum ein anderer.

»Schwere Zeiten erfordern besondere Maßnahmen«, erklärt Kölns Präsident Werner Spinner die aufsehenerregende Entscheidung des Clubs. »Wir brauchen jetzt jemanden aus den eigenen Reihen, der wirklich bedingungslos zum Verein gehört, aber auch mal ordentlich meckern kann, wenn die Dinge im Argen liegen.«

Hennes hat heute Mittag seinen Hufabdruck unter einen Vierjahresvertrag gesetzt. Über die Konditionen des Vertrages hüllt sich der Verein in Schweigen – Gerüchten zufolge soll es jedoch im Vorfeld harte Verhandlungen um Stroh und Salzlecksteine gegeben haben. Dabei zeigte sich Hennes laut Insidern durchaus als harter Verhandlungspartner, der immer wieder »me-e-e-e-ehr« gefordert habe.

Die Verantwortlichen hoffen nun, dass es unter Hennes für den Club endlich wieder bergauf geht. Ob er bei Transfers über mehr Geschick verfügt als sein Vorgänger, wird sich zeigen. Insidern zufolge will Hennes Dominick Bock von Carl-Zeiss Jena sowie Johannes Geis (Schalke 04) nach Köln holen. Zudem sollen die Ex-Bundesliga-Profis Alexander Zickler sowie Christian Ziege als Co-Trainer im Gespräch sein.

Bei Fans und Mannschaft ist Hennes jedenfalls schon jetzt außerordentlich beliebt. »Wir haben Bock«, verrät Kapitän Matthias Lehmann. »Er strahlt Kompetenz und Selbstvertrauen aus.«

Tatsächlich scheint Hennes den Club mit großer Akribie zu führen: Bereits kurz nach seiner Vorstellung präsentierte er sich als detailversessener Mikromanager mit Macher-Spirit, als er den Platzwart des FC mit deutlichen Worten dazu aufforderte, den Rasen des Rheinenergiestadions zu stutzen (»Määäääh! Määäääh!«) und kurzerhand selbst tätig wurde, als der Mann nicht sofort reagierte.

Trendwende: Autoindustrie beschäftigt erstmals mehr Anwälte als Mechaniker

Stuttgart, Wolfsburg, München, Ingolstadt (dpo) - Beginnt jetzt eine neue Ära im deutschen Autobau? Erstmals seit Bestehen der Automobilindustrie beschäftigen die großen Konzerne Daimler, Porsche, Volkswagen, BMW und Audi mehr Anwälte als Ingenieure. Alles deutet darauf hin, dass die Firmen ihren neuen Geschäftsschwerpunkt im Bereich Rechtsberatung suchen.

Einer Erhebung des statistischen Bundesamtes zufolge kommen aktuell auf 100 Angestellte, die ein Fahrzeug zusammenschrauben, 103 Anwälte, die den herstellenden Konzern und dessen Führungsetage in den anfallenden Rechtsstreiten gegen ausländische Regierungen, Verbraucher und die deutsche Staatsanwaltschaft verteidigen.

»Auch in der Automobilbranche zeigt sich, dass der Weg weg von der Industrialisierung hin zu einer Dienstleistungsgesellschaft geht«, so Arbeitsmarktforscher Sven Grundl. »Das hat auch ökonomische Gründe: Während ein Fahrzeugmechaniker nach Abzug von Material- und Arbeitskosten nur geringe Einnahmen für den Konzern einbringt, kann ein Anwalt etwaige Milliardenstrafen durch Kartellbehörden, Umweltverbände und wütende Verbraucher um einen deutlich höheren Betrag drücken. Ein klarer Punkt für den Anwalt also.«

Der Wandel in der Unternehmenskultur geht nicht spurlos an den Konzernen vorüber. So gibt es Insidern zufolge bei BMW erste Überlegungen, sich in »Kanzlei BMW und Partner« umzubenennen. Bei Volkswagen hingegen stehen bereits so viele Anwälte auf der Gehaltsliste, dass die Unternehmensführung in Erwägung zieht, den VfL Wolfsburg in einen Elite-Golfclub umzuwandeln.

Manche Experten vermuten aber auch, dass es sich bei dem rasanten Anstieg der in der Automobilbranche beschäftigten Anwälte lediglich um ein vorübergehendes Phänomen handelt. In der Vergangenheit war die Zahl der Angestellten in der Fertigung und Entwicklung bereits kurzzeitig von der Zahl an Lobbyisten, die die Politik von »sauberer Dieseltechnologie« überzeugten, sowie von Softwarefälschungsspezialisten übertroffen worden.

Übernehmen die Anwälte bald auch das Designen der Fahrzeuge? So könnte dann der neue A8 aussehen.

Das erklärt einiges: Hälfte der BER-Bauarbeiter hat offenbar Auftrag, Flughafen abzureißen

Berlin (dpo) - Das erklärt allerdings so einiges: Offenbar hat rund die Hälfte der am Berliner Flughafen BER beschäftigten Bauarbeiter nicht etwa den Auftrag, das Großprojekt fertigzustellen, sondern den gesamten Gebäudekomplex abzureißen. Grund dafür ist wohl ein fehlerhaftes Vertragsformular aus dem Jahr 2011, das dem Postillon exklusiv vorliegt.

Ein früherer Mitarbeiter der Flughafen Berlin Brandenburg GmbH, der anonym bleiben will, erinnert sich: »Ja, also Ende 2010 stellte man fest, dass man zwar gut in der Zeit lag, aber dass es trotzdem eng werden könnte mit dem Eröffnungstermin am 30. Oktober 2011. Man hatte die Sorge, dass BER erst in der ersten Novemberwoche eröffnen kann.«

Um den daraus resultierenden Prestigeverlust zu vermeiden, habe die Bauleitung in Absprache mit den politischen Verantwortlichen beschlossen, eine zweite Baufirma zu engagieren, die vor allem in den Nachtstunden arbeiten sollte, um den Fortschritt der Arbeiten zu beschleunigen.

Doch dabei kam es zum entscheidenden Fehler: »Irgendjemand muss in der Eile anstelle des Standardvertragsformulars 7B (›Fertigstellung‹) fälschlicherweise zum Standardvertragsformular 7C (›Abriss‹) gegriffen haben«, so der anonyme Mitarbeiter.

Der Rest ist Geschichte. Weil die eine Baufirma nachts stets das abriss, was die erste Baufirma tags zuvor gebaut hat, konnte der Oktober-2011-Termin nicht gehalten werden – ebensowenig wie die darauffolgenden Termine 2012, 2013, 2014, 2015, 2016, 2017, 2018 und wohl auch 2019.

Aussagen von Bauarbeitern der beiden involvierten Firmen zeugen vom kuriosen Arbeitsalltag auf der BER-Baustelle. Harry R., der für die erste Baufirma arbeitet, erzählt: »Ich habe mich schon gewundert: Immer wenn ich was fertig eingebaut oder angeschlossen habe, war es am nächsten Morgen wieder fachgerecht eingerissen und abmontiert«, so der Experte für die Installation von Brandschutzanlagen. »Also musste ich wieder von vorne anfangen. Das geht schon seit sieben Jahren so.«

Wäre bereits seit 2011 fertig, wenn es nicht zu der bedauerlichen Panne gekommen wäre: Flughafen BER

So hinterließ Baufirma 1 jeden Abend die Baustelle:

Völlig anders stellte sich die Situation für René S., Arbeiter der zweiten Baufirma, dar: »Ich habe mich schon gewundert: Immer wenn ich was fertig eingerissen oder abmontiert habe, war es am nächsten Abend wieder fachgerecht eingebaut und angeschlossen«, so der Experte für die Deinstallation von Brandschutzanlagen. »Also musste ich wieder von vorne anfangen. Das geht schon seit sieben Jahren so.«

So hinterließ Baufirma 2 jeden Morgen die Baustelle:

Nun, wo die Ursache für die ständigen Verzögerungen bekannt ist, sollte es ein Leichtes sein, den Fehler zu korrigieren. Doch das gestaltet sich offenbar schwieriger als gedacht: Denn der Vertrag mit der abreißenden Baufirma hat keine feste Laufzeit, sondern endet erst, wenn der gesamte Gebäudekomplex vollständig abgerissen ist.

Daher gebe es nur zwei Möglichkeiten zur Problemlösung: Entweder die Flughafengesellschaft zieht eine dritte Baufirma hinzu, die die erste Baufirma bei ihrer Arbeit gegen die zweite Baufirma unterstützt, oder man lässt die zweite Baufirma den Flughafen fertig abreißen, zahlt sie aus und beginnt dann noch einmal komplett von vorne.

Frau klebt sich Schnurrbart an, damit Friseur günstigen Herrentarif berechnet

Mönchengladbach (dpo) - Dreister Betrug oder genialer Spartrick? Eine 23-jährige Frau hat sich vor einem Friseurbesuch in Mönchengladbach einen falschen Schnurrbart angeklebt, um in den Genuss des erheblich günstigeren Herrentarifs zu kommen. Wie bei allen Friseursalons liegt der Preis eines Haarschnitts für Frauen deutlich über dem für Herren.

»Neu ist der Trick nicht«, verrät Nina Rawel, die als Studentin gewohnheitsmäßig auf ihr Geld achtet. »Ich mache das schon seit mindestens zwei Jahren so.« Dass Männer beim Friseur so viel günstiger wegkommen, ärgert sie. »Das sind pro Haarschnitt meistens 10 oder 15 Euro, die mir als Frau nur wegen meines Geschlechts aus der Tasche gezogen werden.« Probleme hatte die junge Frau nach eigenen Angaben noch nie. »Der Trick ist, den Friseur einfach anzuschweigen und Fragen möglichst einsilbig zu beantworten oder nur kurz zu brummen. Dann kommen die gar nicht auf die Idee, dass man kein Mann sein könnte.«

Nach 20 Minuten Haarschnitt geht es an die Kasse: »Macht dann 11 Euro, der Herr«, so der Friseur. »Bis zum nächsten Mal!«

Dafür, dass Rawel ausgerechnet heute zum Friseur ging, gibt es einen guten Grund. Sie will am Wochenende auf eine Single-Party in einer örtlichen Disco gehen, wo für Frauen sowohl der Eintritt als auch das erste Getränk frei sind.

Muss privat Abstriche machen: Gynäkologe nimmt Arbeit mit nach Hause

Autofahrer zu blöd für Reißverschluss: Jetzt kommt das Klettverschluss-Verfahren

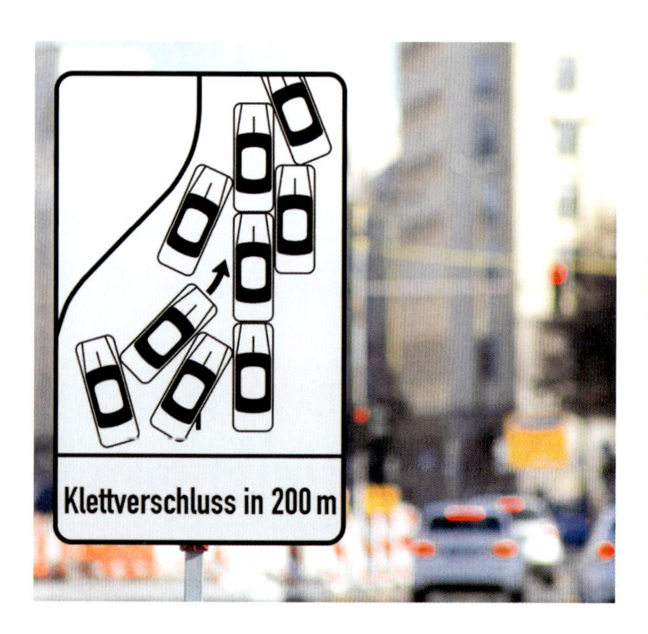

Berlin (dpo) - Wer kennt das nicht? Wenn im Straßenverkehr zwei Fahrstreifen zusammengeführt werden, kommt es immer wieder zu Staus und stockendem Verkehr, weil viele Autofahrer das klassische Reißverschlussverfahren nicht beherrschen. Nun bessert die Politik nach: Laut Bundesverkehrsministerium soll das neue, weniger komplizierte Klettverschlussverfahren künftig für zügigere Abläufe sorgen.

»Verkehrstechnische Untersuchungen haben ergeben, dass viele Verkehrsteilnehmer intellektuell damit überfordert sind, das Reißverschlussverfahren korrekt anzuwenden«, erklärte heute ein Sprecher des Verkehrsministeriums. »Offensichtlich ist es zu viel verlangt, dass sich alle Verkehrsteilnehmer zu Beginn der Engstelle abwechselnd einordnen.«

Aus diesem Grund habe man nach noch einfacheren Ansätzen gesucht, die jeder Fahrer sofort versteht. Dabei setzte sich schließlich das Klettverschlussverfahren gegen andere Methoden wie das Schleifen- oder das Knopfverfahren durch.

»Klettverschlüsse können selbst von Kleinkindern bedient werden«, so der Sprecher. »Da kann einfach nichts schiefgehen.«

Kinderleicht zu bedienen: Klettverschluss

Und so funktioniert das neue Verfahren:

- Vor der Engstelle wird durch ein entsprechendes Verkehrsschild darauf hingewiesen, dass sich Autofahrer nach dem Klettverschlussverfahren einordnen sollen.

- Dann fahren alle Fahrzeuge nicht abwechselnd, sondern gleichzeitig in die verbleibende Spur und verhaken sich dabei möglichst so ineinander, dass sie die Engstelle irgendwie passieren können. Wichtig: Es gibt kein Richtig und kein Falsch!

Beispiel:

- Am Ende der Engstelle können alle Fahrzeuge wieder auseinandersteuern und normal weiterfahren. Autos, die völlig hoffnungslos ineinander verkeilt sind, fahren gemeinsam weiter bis zur nächsten Haltemöglichkeit, wo sie mithilfe eines Brecheisens voneinander gelöst werden können.

Als Nächstes plant das Verkehrsministerium weitere Schwachstellen der Straßenverkehrsordnung anzugehen. So soll schon bald die meist zu wenig genutzte rechte Autobahnspur abgeschafft und durch eine zusätzliche linke Spur ersetzt werden. Zudem soll der sogenannte Toleranz-Abzug von Blitzern direkt auf Geschwindigkeitsbegrenzungsschilder hinzuaddiert werden (z. B. 33, 53, 103, 145), um Fahrern unnötiges Gerechne zu ersparen, wie schnell sie tatsächlich fahren dürfen.

Cupertino (dpo) - Apple setzt in puncto Design wieder einmal neue Maßstäbe: Neue Leaks aus Asien, wo derzeit die Produktion des im September erwarteten iPhone 8 läuft, zeigen, dass der Smartphone-Riese sein Flaggschiff künftig auch im sogenannten Used Look anbieten will. Damit folgt Apple einem Trend, der bei Klamotten und Schuhen bereits seit Jahren angesagt ist.

Die etwas teurere Used-Look-Variante soll es demnach wie die normalen Modelle ab Herbst in verschiedenen preislich gestaffelten Ausführungen geben. Die Palette reicht dabei von kleinen Kratzern und Abschürfungen über verblasste Farben und Staubeinschlüsse bis hin zum flächendeckenden Displayriss.

Used Look: Apple plant iPhone mit Kratzern und Displayrissen

Die ersten Reaktionen unter Apple-Fans sind begeistert. »Darauf warte ich schon seit Ewigkeiten«, kommentiert etwa User Jona95 auf der Seite iphonerumors.com. »Normalerweise brauche ich mindestens zwei Jahre und mehrere Vollräusche, um mein iPhone so aussehen zu lassen, als würde ich es völlig gleichgültig behandeln. Jetzt wirkt es gleich nach dem Auspacken schon cool. Perfekt!«

Besitzer älterer iPhones bleiben hingegen außen vor: Sie müssen sich weiterhin selbst bemühen oder eines der bereits im Internet erhältlichen Upgrade-Kits von Drittanbietern mit Schleifpapier, Hammer und abgepackten Fusseln zum Verstopfen von Lautsprechern und Lightning-Anschluss erwerben, um ihr iPhone auf den neusten Stand zu bringen:

Apple selbst setzt den Leaks zufolge beim neuen iPhone Used auf Lasertechnik und ein patentiertes Stone-Wash-Verfahren, um den gewünschten Effekt zu erreichen. Der Konzern selbst wollte die im Internet aufgetauchten Bilder nicht kommentieren.

Sollten die Leaks authentisch sein, und derzeit sieht alles danach aus, dann dürfen sich Apple-Fans im Herbst zusätzlich über eine iPhone-Hülle im Used Look freuen. Sie soll das edle Gerät vor Stürzen und Kratzern schützen.

»Ich kann es immer noch nicht fassen«, gibt Linda B., die verzweifelte Frau des Verschütteten, zu Protokoll, während sie versucht, ihre weinende Tochter (4) zu trösten. »Michael sollte doch nur die große, rote Tupper-Dose aus dem Schrank holen. Ich fürchte, er hat den Schrank einfach mit zu viel Schwung und zu weit geöffnet, sodass die vielen, vielen Dosen…« Sie bricht ebenfalls in Tränen aus.

Nach schwerer Tupper-Lawine: Rettungskräfte geben Suche nach vermisstem Ehemann auf

Dessau (dpo) - Traurige Nachrichten aus Dessau: Dort wurde ein Mann vor fünf Tagen von einer Tupper-Lawine verschüttet, nachdem er unachtsamerweise einen Küchenschrank zu schnell geöffnet hat. Inzwischen haben Polizei und Feuerwehr die Suche aufgegeben.

Angehörige warten noch immer verzweifelt auf ein Lebenszeichen von Familienvater Michael B. Doch die Hoffnung, den in der neuen Einbauküche verschütteten Mann (38) noch lebend zu finden, ist minimal. Polizei und Feuerwehr haben die Suche bereits aufgegeben. Nur einige Freiwillige graben in der Flut aus Plastikdosen in allen erdenklichen Formen und Farben und nicht dazu passenden Deckeln noch nach dem Verunglückten.

Linda B. macht sich selbst schwere Vorwürfe: »Habe ich zu viele Tupperdosen gesammelt? Hätte ich meinen Mann nicht alleine gehen lassen sollen?«

Deutschlandweit werden jährlich rund 200 Ehemänner in der eigenen Küche von einer Tupper-Lawine verschüttet. Viele können sich aus eigener Kraft befreien oder werden schnell gefunden. Doch für Michael B. wird die Hoffnung mit jeder verstreichenden Stunde kleiner.

Feuerwehr und THW haben in den vergangenen Tagen ihr Bestes getan, um den Verschütteten zu retten. Sogar aus den Nachbarländern ist Verstärkung angerückt, das merkt man am Wirrwarr der Sprachen am Unfallort. Auch Tausende mitfühlende Menschen haben der Familie über das Internet oder Briefe Trost gespendet. Doch es war alles vergebens.

Trotz Spürhunden und professionellem Räumgerät konnten die Helfer der Flut an Döschen, Schalen, Bechern, Deckeln und Sparschälern nicht Herr werden.

In den kommenden Tagen werden wohl auch die freiwilligen Helfer und zuletzt die Familie die Suche einstellen. Dann wird nur noch ein schlichtes Holzkreuz auf dem Tupper-Haufen daran erinnern, was hier passiert ist.

Erschöpfter Lawinenhund nach sieben Stunden Dauereinsatz: Der Geruchssinn der Tiere wird oft verwirrt durch die vielen Speisen, die in den Tupper-Schüsseln aufbewahrt wurden.

Fußgänger rast in parkenden Smart – Totalschaden!

Mainz (dpo) - Ein unvorsichtiger Fußgänger ist am Dienstagmorgen in Mainz mit einem geparkten Smart kollidiert und hat bei dem Fahrzeug einen Totalschaden verursacht. Laut Zeugenangaben war der Unfallverursacher mit einer Geschwindigkeit von etwa drei bis vier Stundenkilometern unterwegs. Anschließend beging der Unbekannte Fußgängerflucht. Er wird nun polizeilich gesucht.

Die sich zum Unfallzeitpunkt noch im Wagen befindlichen Insassen stehen unter Schock: »Ich habe gerade erst eingeparkt, da kam der Typ wie aus dem Nichts und streifte mit seinem rechten Knie mit voller Wucht meine Fahrertür«, erinnert sich der 31-jährige Smart-Besitzer Matthias Gantz an den Moment des Unfalls. »Ich spürte die Erschütterung durch den Aufprall und konnte mich mit einem Hechtsprung gerade noch so aus dem Wagen retten, bevor er sich überschlug.«

Seine 30-jährige Beifahrerin hat es etwas schwerer erwischt: Sie musste von der Feuerwehr aus dem Wrack befreit werden und wird derzeit psychologisch betreut.

»Zum Glück lösten alle Airbags aus, sodass niemand ernsthaft verletzt wurde«, erklärt ein Sprecher der Feuerwehr.

Die Polizei Mainz hat weitere Zeugen des Unfallhergangs dazu aufgerufen, sich beim Polizeipräsidium zu melden. Gesucht wird wegen Unfallflucht ein 25- bis 35-jähriger Mann mit westeuropäischem Aussehen. Er ist etwa 1,60 bis 1,70 Meter groß, sehr dünn und hat vermutlich eine kleine rote Stelle am rechten Knie.

Dabei gilt selbstverständlich die Unschuldsvermutung: Laut Polizei lässt sich nicht ausschließen, dass der Mann von dem Unfall nichts mitbekam.

Endlich alle Kritiker eingesperrt: Erdogan lässt Gitterstäbe um Türkei bauen

Ankara (dpo) - Der türkische Präsident Recep Tayyip Erdogan hat heute im Parlament die Errichtung von Gitterstäben um die komplette Türkei beschließen lassen. Dies soll die Verhaftung von Regimegegnern erleichtern, die bislang immer mühsam einzeln festgenommen werden mussten.

»Beim Versuch, restlos alle Putschisten, Gülenanhänger und Touri... äh, Terroristen zu verhaften, stößt man schnell an Grenzen«, begründete Erdogan die Maßnahme. »Immer wenn man einen verhaften lässt, taucht schon der Nächste auf, der gegen die Verhaftung protestiert und der daher ebenfalls verhaftet werden muss.«

Damit endlich ausnahmslos alle Regierungskritiker hinter Gittern sitzen, lässt die türkische Regierung nun einen fast 10.000 Kilometer langen und acht Meter hohen Gitterzaun entlang der Küsten und Landesgrenzen rund um die Türkei errichten.

Die rote Linie zeigt den Verlauf der Vergitterung:

Durch die Maßnahme werden Polizei und Strafverfolgungsbehörden entlastet, die sich künftig ausschließlich um die Bewachung des mit 783.562 Quadratkilometern größten Freiluftgefängnisses der Welt kümmern müssen. Alle derzeit in der Türkei inhaftierten Personen können dann aus ihren Gefängnissen in die allgemeine Häftlingspopulation entlassen werden.

Das Amt des Staatspräsidenten wird nach Fertigstellung in das Amt des Gefängnisdirektors umgewandelt.

Auf den Tourismus soll die Vergitterung des Landes nur bedingt Einfluss haben, beschwichtigte heute Kulturminister Numan Kurtulmuş (AKP): »Die Gitterstäbe um die Türkei stellen für Touristen - etwa aus Deutschland oder anderen EU-Staaten - kein Hindernis dar, da diese ohnehin mit dem Flugzeug einreisen.« Allerdings gelte jeder, der in der Türkei ankomme, als vorläufig festgenommen, bis er seine Unschuld bewiesen hat.

Aus Kostengründen: Mauer zwischen USA und Mexiko soll nur 5 Zentimeter hoch werden

Washington (dpo) - Das Weiße Haus hat erste Entwürfe für die von US-Präsident Donald Trump geforderte Grenzmauer zwischen den USA und Mexiko vorgestellt. Wichtigstes Detail: Damit das von Trump im Wahlkampf verkündete Budget von nur zwölf Milliarden US-Dollar eingehalten wird, kann die Mauer voraussichtlich maximal fünf Zentimeter hoch sein.

»Eine Mauer ist eine Mauer«, heißt es in einer Stellungnahme des Weißen Hauses. »Wie hoch sie letztlich sein wird, hat der Präsident nie konkret festgelegt.«

Zuvor hatte das US-Heimatschutzministerium fieberhaft nach Wegen gesucht, die 3144 Kilometer lange Mauer mit dem veranschlagten Budget zu bauen – schließlich handelt es sich dabei um ein zentrales Wahlversprechen Trumps.

Erste Entwürfe, die auf besonders günstige Bausubstanzen wie Karton, Sperrholzplatten oder alte Matratzen basierten, wurden jedoch schnell wieder verworfen, da die jeweiligen Materialien zu leicht durchbrochen werden konnten oder sich bei Regen auflösten. Schließlich beschloss man, das Kostenproblem durch eine geringere Bauhöhe zu lösen.

Der jetzige Entwurf aus Stahlbeton vereint laut der US-Regierung höchste bauliche Qualität mit ökonomischer Sparsamkeit. Dabei wird auch die Sicherheit nicht außen vor gelassen: Die Fundamente der fünf Zentimeter hohen Mauer sollen fast zwei Zentimeter tief in den Boden eingelassen werden, um ein Untertunneln zu erschweren. Stacheldraht soll es zudem unmöglich machen, die Barriere mit Leitern zu überwinden.

Um sicherzustellen, dass Drogenkuriere keine Pakete über die Mauer werfen und um andere Angriffe zu verhindern, soll alle zwei Kilometer ein mit Grenzschützern bestückter Wachturm von 15 Zentimeter Höhe stehen.

Trump selbst twitterte:

Bereits kommende Woche wird der Präsident persönlich in feierlichem Rahmen der Legung des Grundsteinchens beiwohnen.

Mathelehrer gibt endlich zu: »Es gibt nichts, wofür ihr das später braucht!«

Gotha (dpo) - Generationen von Schülern haben es bereits geahnt, jetzt ist es offiziell: Ein Mathematiklehrer des Carl-Friedrich-Gauß-Gymnasiums in Gotha hat zugegeben, dass es tatsächlich nichts im Leben gibt, wofür man die von ihm vermittelten Lehrinhalte eines Tages brauchen könnte.

»Ich kann es einfach nicht länger mit meinem Gewissen vereinbaren, euch Woche für Woche anzulügen«, erklärte der 63-jährige Wilfried Kampeter mitten in einer Doppelstunde, in der Logarithmusfunktionen behandelt wurden, vor seiner Klasse (11c). »Cotangens, Eulersche Zahl, Heisenbergsche Unschärferelation ... Es gibt absolut nichts, wofür ihr das später braucht! Nichts!«

Kurz darauf wird er vom schuleigenen Sicherheitsdienst aus dem Klassenzimmer gezogen.

Auf Anfrage des Postillon legt Kampeter, der seitdem vom Dienst suspendiert ist, die Karten auf den Tisch, lässt uns hinter die Kulissen einer ungeheuerlichen Verschwörung blicken: »Eigentlich haben Schüler spätestens nach der sechsten Klasse alles über Mathematik gelernt, was sie jemals für ihr Leben brauchen. Alles, was danach kommt, ist purer Sadismus. Manche Teile - das mit dem Differenzieren und Integrieren zum Beispiel - sind sogar einfach nur ausgedacht. Dafür gibt es schlicht kein Anwendungsgebiet. Das ist reine Schikane.«

»Ich konnte mit der Lüge nicht mehr länger leben.«

Doch warum log Kampeter seine Schüler all die Jahre an? »Das bekommt man schon im Lehramtsstudium eingetrichtert, dass man da gefälligst dichtzuhalten hat. Sonst wären ich und meine Kollegen ja schon längst arbeitslos«, erklärt er. »Wenn mich meine Schüler bisher fragten, wozu man das später eigentlich braucht, habe ich einfach irgendetwas von technischen Berufen in der Raumfahrtbranche, Allgemeinbildung und der Bedeutung des abstrakten Denkens gefaselt.«

Repressalien seiner Kollegen fürchtet Kampeter nicht. »Die würden ja auch gerne die Wahrheit sagen, wenn sie den Mut hätten. Das Bildungsministerium ist da schon härter. Wenn die Wind davon bekommen, dass ich mit den Medien spreche, muss ich mit allem rechnen. Aber die sollen bloß kommen. Ich stehe eh nur ein Jahr vor der Pensionierung. Sollen sie mich halt rausschmeißen. Ich habe keine Angst!«

Einen Tag nach dem Gespräch mit dem Postillon wird Wilfried Kampeter von seiner Frau Hannelore Kampeter als vermisst gemeldet. Noch mysteriöser: An seiner Schule werden wir direkt abgewiesen. Ein Wilfried Kampeter habe hier nie unterrichtet.

Anfragen an andere Mathematiklehrer bleiben samt und sonders unbeantwortet.

Typischer Dialog vor Kampeters Outing: »Also kürze ich da (x-4) und ... Brauche ich das eigentlich jemals?« »Selbstverständlich. Zum Beispiel für ... Oh, jetzt ist die Stunde aus. Ich muss weg.« »Aber wir haben doch noch 20 Minuten! Herr Ka... Weg ist er.«

Mann niest sich zu Tode, weil ihm niemand »Gesundheit« wünschte

Mannheim (dpo) - Ein tragisches Unglück hat sich heute in Mannheim ereignet. Weil niemand ihm »Gesundheit« wünschte, hat sich ein 52-jähriger Mann in aller Öffentlichkeit zu Tode geniest.

Wie die Polizei mitteilte, befand sich der Mann gerade an einer Bushaltestelle, als er von einer Niesattacke überfallen wurde. Da zunächst außer ihm sonst niemand vor Ort war, folgte ein Nieser nach dem anderen.

»Es kamen zwar immer wieder Passanten vorbei, aber offenbar war keiner von ihnen dazu bereit, kurz ›Gesundheit‹ zu sagen«, so ein Beamter. »Stattdessen gingen sie wortlos weiter und ließen den armen Mann niesend zurück.« Augenzeugenberichten zufolge filmten einige sogar das Geschehen, ohne einzugreifen.

Erst als der Bus ankam und der Busfahrer die erlösenden Worte »Gesundheit, und nun steigen Sie doch bitte ein« sagte, endete die Niesattacke – doch da war es bereits zu spät.

»Der Mann erlag noch vor Ort seinen Niesverletzungen«, heißt es im Abschlussbericht der Rettungskräfte.

Die Polizei ermittelt nun in mehreren Fällen wegen unterlassener Hilfeleistung und appelliert an die Bevölkerung, Betroffenen spätestens nach dem zweiten Nieser kurz »Gesundheit« zu wünschen. »Das ist doch nun wirklich nicht so schwer und kann Leben retten!«

Japsen gegen Rassismus: Teilnehmer des Tokio-Marathons erlaufen Spendengelder für Toleranzprojekt

RATGEBER

Alles, was Sie über den »Fachkräftemangel« wissen müssen

Das klingt nicht gut: Laut einer Studie des Basler Forschungsinstituts Prognos droht Deutschland ein gigantischer Fachkräftemangel – bis 2030 könnten demnach bis zu 3 Millionen der wertvollen Arbeitskräfte fehlen, bis 2040 sogar 3,3 Millionen! Doch was ist dieser Fachkräftemangel eigentlich, vor dem sich jeder fürchtet? In diesem Ratgeber erfahren Sie alles, was Sie zu dem Thema wissen müssen:

Was genau ist eine Fachkraft?

Eine Fachkraft ist eine Person, die etwas gelernt hat, was zufällig gerade gebraucht wird. Beispiele: Pflegepersonal, Ingenieure, Spargelstecher, Ärzte, Feuerschlucker. Eine Fachkraft ist somit niemals ein Absolvent eines geisteswissenschaftlichen Studiums. Trotz ihres Namens sind Fachkräfte nicht viel stärker als der Durchschnittsbürger (nur 8 Prozent stärker).

Woher stammt der Begriff Fachkräftemangel?

Die ursprüngliche Bedeutung des Wortes hat mit seiner heutigen Verwendung wenig zu tun: Im späten 19. Jahrhundert war eine Fachkräftemangel ein Gerät, mit dem Industrielle wertvolle Fachkräfte strecken und glätten konnten, wenn ihre Leistung nachließ:

Eine durchschnittliche Fachkraft konnte so jahrzehntelang problemlos eine 70-Stunden-Woche absolvieren. Heutzutage sind Fachkräftemangeln von den Vereinten Nationen geächtet.

Was versteht man heute unter Fachkräftemangel?

Heute bezeichnet Fachkräftemangel eine Situation, in der die Arbeitgeber nicht in der komfortablen Situation sind, dass sich für jede Stelle rund 100 Bewerber melden, die bereit sind, in einer Arena bis auf den Tod darum zu kämpfen.

In Deutschland gibt es derzeit rund 3 Millionen Arbeitslose. Warum nimmt man die nicht einfach?

Pfff! Die müsste man ja erst mühsam in den Betrieben ausbilden. Nee, das kann man von der Wirt-

Nicht lange gefackelt: Polizei schnappt Brandstifter in flagranti

schaft wirklich nicht erwarten. Außerdem: Wenn die Arbeitslosen weg wären, dann hätte man ja kein Druckmittel mehr gegen die Arbeiter.

Was kann der Einzelne gegen Fachkräftemangel tun?

Wer rechtzeitig Fachkräfte einlagert, dem kann in Zeiten des Fachkräftemangels nichts passieren. Am längsten haltbar sind Fachkräfte, wenn man sie mit viel Zucker einkocht und sie anschließend in Einmachgläsern in einem lichtgeschützten, kühlen Raum lagert. Alternativ können sie auch in einem Jutesack bei niedrigen Temperaturen bis zu 3 Jahre gelagert werden.

Wie kann die Wirtschaft den Fachkräftemangel bekämpfen?

Die Wirtschaft müsste entsprechende Anreize (gute Ausbildung, bessere Arbeitszeiten, höhere Löhne, Betriebshüpfburg etc.) bieten, um mehr Bewerber anzulohohohocken ... hoho... na gut, das ist natürlich extrem unrealistisch.

Wie bekämpft die Wirtschaft stattdessen den Fachkräftemangel?

Weil die im vorigen Punkt genannten Maßnahmen zu teuer sind, geben die Arbeitgeber lieber eine Studie in Auftrag, die herausfinden soll, dass in Deutschland Fachkräftemangel herrscht. Ist diese Studie hysterisch genug und geht durch genügend Medien, ergreift die Politik entsprechende Maßnahmen (Zuwanderung ausländischer Fachkräfte, Studiengang »Fachkraft«, Hartz-IV-Sanktionen).

Woher weiß Prognos, wie viele Fachkräfte bis 2030 oder gar 2040 fehlen?

Prognos verwendet dazu ein empirisches Hochrechnungsmodell, bei dem unter anderem eine Glaskugel, eine Dartscheibe, vier Kilogramm Ziegenleber, eine Münze sowie das von Seiten des Auftraggebers (Arbeitgeber) gewünschte Ergebnis eine wichtige Rolle spielen.

Wie sollte die Gesellschaft also auf die regelmäßig erscheinenden erschreckenden Studien zum Fachkräftemangel reagieren?

Nicht.

Mark Zuckerbergs Mutter sauer, weil er ständig bei Facebook rumhängt

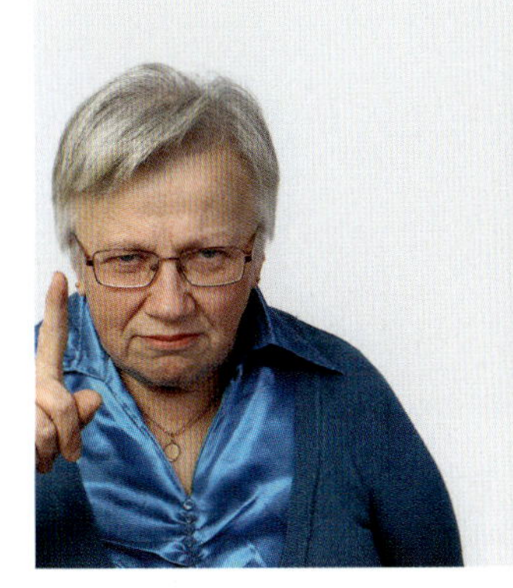

Palo Alto (dpo) - Karen Zuckerberg hat allmählich die Faxen dicke: Seit Jahren muss die US-Amerikanerin mitansehen, wie ihr mittlerweile 33-jähriger Sohn täglich bei Facebook herumhängt. Die Psychotherapeutin hofft nach eigenen Angaben inständig, dass Mark sich eines Tages besinnt und sein 2006 abgebrochenes Studium wieder aufnimmt, statt seine Zeit bei dem sozialen Netzwerk zu vergeuden.

»Was kann man da überhaupt so lange drin machen?«, fragt sie sich. Sie selbst sei ja auch bei Facebook, aber da schaue sie nur hin und wieder mal rein - mehr nicht. Ihr Sohn jedoch sei tagein, tagaus mit nichts anderem mehr beschäftigt. Dass er überhaupt so etwas wie Freunde und Familie hat, sei bei seiner offensichtlichen Facebook-Sucht ein Wunder, so die verzweifelte Mutter.

»Hier scheint doch so viel die Sonne, er könnte ja mal ein wenig vor die Tür gehen und seine 96.233.360 angeblichen Facebook-Freunde im echten Leben treffen«, seufzt sie. »Aber nein, immer nur Facebook, Facebook, Facebook …«

Immerhin, sie hat die Hoffnung noch nicht aufgegeben. »Mark ist trotz allem ein guter Junge. Irgendwann findet er schon noch einen richtigen Job, bei dem er auch was zu tun hat. Dann wird er schon automatisch weniger auf dieser Seite rumhängen.«

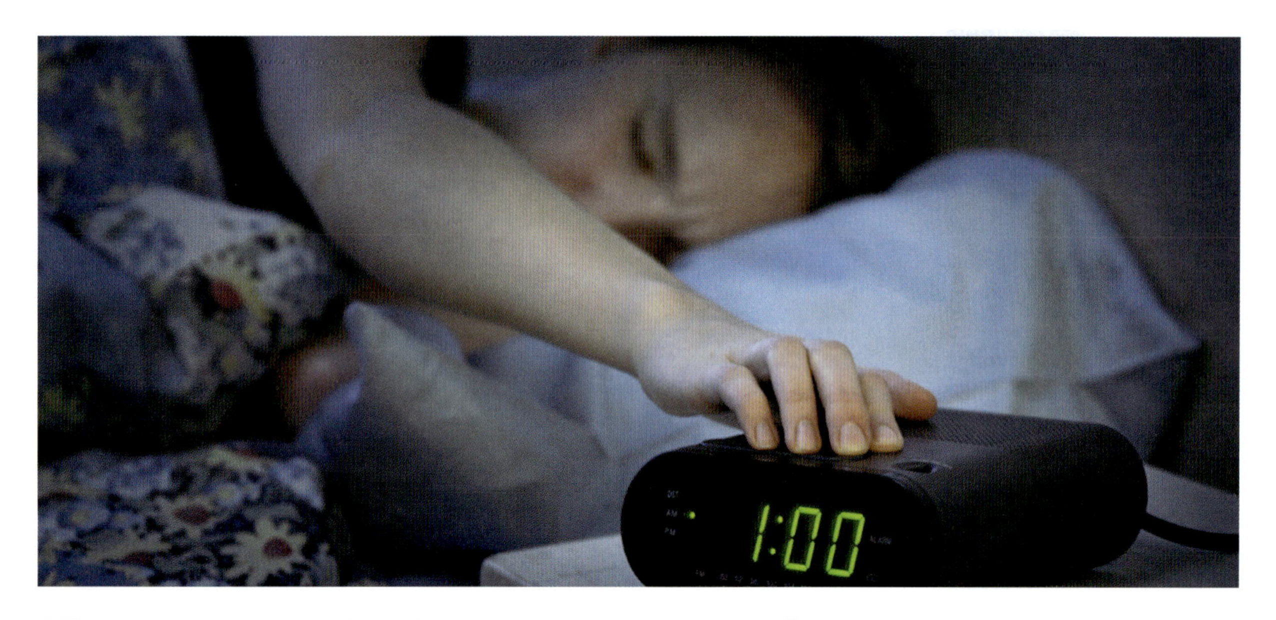

Frau stellt Wecker auf 1 Uhr, um dann noch 55 Mal Schlummertaste drücken zu können

Lübeck (dpo) - Weil Maren Kärber nach dem ersten Weckerklingeln ungern sofort aufsteht, nutzt die Lübeckerin einen besonderen Trick: Bereits um 1 Uhr nachts klingelt ihr Wecker zum ersten Mal. So kann sie vor dem Aufstehen noch 55 Mal die Schlummertaste drücken, sich umdrehen und weitere sechs Minuten dösen.

Denn endgültig aufstehen muss die 24-Jährige erst um 6.30 Uhr. »Früher klingelte mein Wecker auch um Punkt 6.30 Uhr und ich habe es immer gehasst, sofort wie auf Kommando aus dem Bett rauszumüssen«, rechtfertigt Kärber ihre Gewohnheit.

Irgendwann habe sie dann entdeckt, dass sie noch ein wenig länger liegenbleiben kann, wenn sie den Wecker auf 6.24 Uhr stellt. »Das ist so schön, wenn der Wecker klingelt und man drückt ihn weg und kann noch liegenbleiben«, so Kärber. »Nach einer Weile bin ich dann auf 6.18 Uhr gegangen. Und dann auf 6.12 Uhr und so weiter.«

Nach und nach habe sie sich dann bei 1 Uhr eingependelt. »Weiter schieben kann ich das nicht mehr. Sonst fühlt sich das nicht so an, als hätte ich wirklich geschlafen, bevor der Wecker zum ersten Mal klingelt. Aber so ist es perfekt. Nach dem Weckerklingeln noch drei- bis vierhundert Minütchen weiterdösen zu können – ein Traum!«

Einzig ihre 78 Ex-Freunde konnten sich nicht mit ihrer langjährigen Gewohnheit arrangieren. »Aber für One-Night-Stands ist es super«, berichtet Kärber. »Ich musste noch nie für jemanden Frühstück besorgen. Spätestens um halb drei sind die meisten wieder weg.«

Nach Erdogans Reisewarnung: Hotel auf Sylt pleite, weil türkische Badegäste ausbleiben

Westerland (dpo) - Horst Wippermann ist ruiniert. Nach der Reisewarnung der türkischen Regierung für Deutschland steht der Sylter Hotelier vor der Pleite. Denn seit Freitag bleiben nahezu alle Badegäste aus der Türkei aus. Andere Unternehmen der deutschen Tourismusbranche stehen ebenfalls vor dem Kollaps.

»Seit Freitag gab es haufenweise Stornierungen durch türkische Touristen«, erzählt der Unternehmer, der inzwischen Insolvenz beantragen musste. »Fast alle Betten sind leer.«

Für ihn kommt die Reisewarnung zur Unzeit: »Ausgerechnet im September, wo traditionell am meisten Türken zum Baden und Quallen-Schnorcheln kommen. Die gehen jetzt natürlich alle nach Dänemark oder Belgien, um dort die Nordsee zu genießen.«

Von der deutschen Außenpolitik ist Wippermann enttäuscht. »Frau Merkel und Herrn Gabriel scheint es völlig egal zu sein, dass wir hier ohne türkischen Tourismus ruiniert sind. Jetzt ist es natürlich schon zu spät, aber ich möchte nochmals betonen, dass bei uns alle Türken willkommen sind. Mit der Politik der Regierung haben wir nichts zu tun!«

Die Reisewarnung der türkischen Regierung kommt allerdings nicht von ungefähr: Erst vergangene Woche wurden drei türkische Staatsbürger bei der Einreise ohne rechtsstaatliches Verfahren mit einer hochgezogenen Augenbraue bedacht, als sie ungefragt die Politik Erdogans lobten.

Mann baut Unfall, weil er wegen durchgezogener Linie nicht zurück auf seine Fahrspur durfte

Aachen (dpo) - Weil er sich an die Straßenverkehrsordnung hielt, hat ein 34-Jähriger Autofahrer bei Aachen einen Unfall verursacht. Nachdem er auf einer Landstraße ein anderes Fahrzeug überholt hatte, wagte sich der Mann aufgrund des mittlerweile durchgezogenen Mittelstreifens nicht mehr zurück auf seine Fahrspur und kollidierte frontal mit einem entgegenkommenden Traktor. Wie durch ein Wunder wurde er nur leicht verletzt.

»Vor mir fuhr ein langsameres Auto, das habe ich ganz normal überholen wollen«, erinnert sich Jan Künning an seinen Unfall. »Ich schau noch extra, gestrichelte Linie in der Mitte, freie Sicht, alles klar.«

Doch als er den Wagen überholt hat, nimmt das Unheil seinen Lauf: »Ich hab ein bisschen länger gebraucht, um an ihm vorbeizukommen, vund inzwischen war die Linie in der Mitte durchgezogen und ich immer noch auf der linken Spur. Kein Zurückkommen.«

Der 34-Jährige bleibt notgedrungen links und hofft darauf, dass die Linie irgendwann wieder gestrichelt ist, damit er zurückkann. »In dem Moment seh ich: Ein Traktor fährt direkt auf mich zu.«

Traktorfahrer Manfred Zeer (61) berichtet: »Der kam mir auf meiner Spur entgegen. Ich hab überlegt, ob ich ihm nicht einfach nach links ausweichen kann, aber das ging nicht: Die Mittellinie war durchgezogen. Und rechts war zwar eine Wiese mit viel Platz, aber auf der Seite war die Linie natürlich auch durchgezogen.«

Schließlich stoßen beide Fahrer nach einem Bremsmanöver im Schritttempo zusammen. »Klar bin ich voll in die Eisen gestiegen«, berichtet Künning. »Aber ganz stehen bleiben wollte ich nicht. Halten oder parken ist auf einer Landstraße nämlich auch verboten.«

Die Straße musste anschließend für mehrere Stunden gesperrt werden. Dies lag insbesondere daran, dass Rettungsfahrzeuge und Polizei unglücklicherweise aus derselben Richtung kamen wie der Unfallfahrer, weswegen sie den auf der Gegenfahrbahn befindlichen Unfallort aufgrund der durchgezogenen Linie nur über einen größeren Umweg erreichen konnten.

Akkurat: Verkäufer gibt ordentliche Batterieempfehlung

CDU und FDP erhalten so viele Spenden aus der Wirtschaft, weil sie so gute Politik für die Bürger machen

Berlin (dpo) - Ein Blick auf die veröffentlichungspflichtigen Großspenden ab 50.000 Euro zeigt, dass CDU und FDP in diesem und im letzten Jahr mit Abstand am meisten Geld aus der deutschen Wirtschaft und von wohlhabenden Privatpersonen erhalten haben. Experten vermuten, dass dies daran liegt, dass diese beiden Parteien die beste Politik für die einfachen Leute machen.

»Profitorientierte Unternehmen, Lobbyverbände der Industrie und reiche Firmenerben spenden selbstverständlich nur an jene Parteien, die das Wohl des kleinen Mannes im Auge haben«, so Politikwissenschaftler Detlev Bräuninger. »Schließlich fühlen sich börsennotierte Konzerne und Milliardäre zuallererst der Allgemeinheit verpflichtet und erwarten keinerlei Gegenleistung für ihre Investitionen.«

Schon die Tatsache, dass die Unternehmen überhaupt einen so großen Teil ihrer mühsam verdienten Gewinne auf steuerlich absetzbare Weise spenden, zeuge davon, dass dahinter ganz offensichtlich Motive wie Edelmut, Philanthropie und Altruismus stecken.

Sollten die so großzügig unterstützten bürgernahen Parteien CDU und FDP tatsächlich die Regierung bilden, könnte dies nicht nur der großen Masse der einfachen Leute zugute kommen: Ein Blick in die Vergangenheit zeigt, dass solche finanziellen Wohltaten ganz nebenbei auch das Karma des Geldgebers positiv beeinflussen können. So wurde etwa die Hotelgruppe Mövenpick, die der FDP vor der Bundestagswahl 2009 mit 1,1 Millionen Euro unter die Arme griff, wenig später vom Schicksal mit einer Senkung der Mehrwertsteuer für Hotelübernachtungen von 19 auf 7 Prozent belohnt.

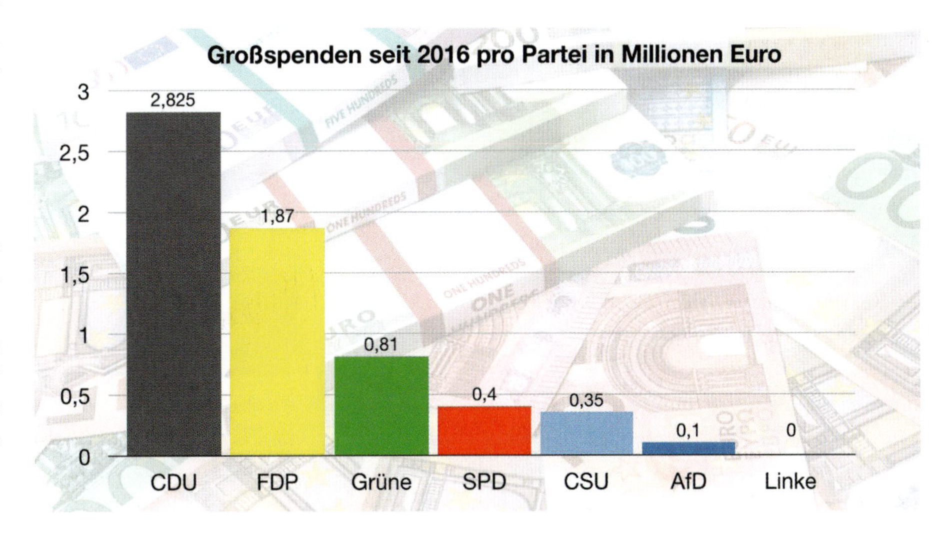

Aus Versehen: Finnischer Holzfäller gewinnt Berliner »Hipster des Jahres«-Wahl

Berlin (dpo) - Ein finnischer Tourist ist während seines Berlin-Urlaubs von der dortigen Hipster-Szene zum »Hipster des Jahres 2018« gewählt worden. Der 29-jährige Holzfäller Kimi Virtanen wurde laut Jury besonders für seinen authentischen Hipster-Look ausgezeichnet – und das, obwohl er sich gar nicht zur Wahl aufgestellt hatte.

»Ich lief gerade mit einem Kaffee in der Hand durch Kreuzberg, als mir plötzlich eine lächelnde Menschengruppe entgegen kam und mich beglückwünschte«, berichtet Virtanen von seinem überraschenden Titelgewinn. »Ich habe nicht alles verstanden, aber ich glaube, ich habe irgendeinen Holzfällerpreis gewonnen.«

Bei ihm reichte es diesmal nur für Platz 2: Letztjahressieger Sören Kleifert aus Berlin Kreuzberg

Tatsächlich hatte der Finne die Jury mit seinem unvergleichlich lässigen Stil begeistert. »Kimi Virtanen ist einfach unglaublich«, schwärmt Julia Kögler, die die Wahl mitorganisierte. »Sein entspannter Look mit Mütze, Vollbart und Karohemd ist hip, doch seine schmuddelige Art schreit laut heraus: ›So what?!‹ Aber nicht so laut, dass man das Gefühl hat, er will irgendwie um jeden Preis im Mittelpunkt stehen. Das ist lässig, aber auch irgendwie nicht. Gewollt, aber irgendwie ungewollt. So männlich, aber gleichzeitig irgendwie so anti gegenüber dem modernen Männlichkeitsbild. Ich finde ihn ja schon irgendwie toll, oder irgendwie nicht? Ehrlich gesagt, weiß ich überhaupt nichts. Irgendwie.«

Inzwischen hat auch Virtanen erklärt bekommen, weshalb er ausgezeichnet wurde. Den Rummel um seine Person versteht er dennoch nicht. »Ich habe mich noch nie um mein Äußeres gekümmert. Im Norden Finnlands läuft fast jeder so rum wie ich. Ich kapiere nicht so ganz, was daran ›hipster‹ sein soll. Schließlich bin ich schon jahrelang so rumgelaufen, bevor es cool wurde.«

Sturm blies mehrere Teile an richtige Stelle: Flughafen BER wird ein Jahr früher fertig!

Berlin (dpo) - Endlich mal gute Nachrichten vom Flughafen BER! Bei einer Inspektion der Baustelle nach dem verheerenden Sturmtief Friederike wurde festgestellt, dass die starken Winde zahlreiche Bauteile an die richtige Stelle geweht haben. Der Hauptstadtflughafen werde daher voraussichtlich ein Jahr früher fertig als aktuell erwartet.

»Sehen Sie diesen Sack Zement da? Der lag gestern zum Beispiel hier hinten«, erklärt BER-Chef Engelbert Lütke Daldrup zufrieden, während er über die Baustelle schlendert. »Jetzt liegt er genau an der richtigen Stelle. Da hätte man normalerweise extra einen Bauarbeiter beauftragen müssen, der sich für viel Geld darum kümmert.«

Eigentlich wollte der BER-Chef gemeinsam mit Vorarbeitern die angerichteten Schäden inspizieren. Stattdessen dürfte das Unwetter dem Steuerzahler Millionen sparen.

Ein Sachverständiger erklärt: »Üblicherweise ist ein Orkan natürlich sehr negativ für eine Baustelle. Da werden Gerüste umgeblasen, halbfertige Konstruktionen können einstürzen und so weiter. Aber am Flughafen BER ist offenbar so viel im Argen, dass eine neue willkürliche Anordnung von Bauteilen grundsätzlich positive Auswirkungen hat.«

Sieht besser aus als vorher: BER-Baustelle

Unter anderem seien mehrere Tanks für die Brandschutzanlage mit Regenwasser gefüllt worden, eine in den letzten Monaten fälschlich eingezogene Wand wurde umgeweht und ein Dach wurde so eingedrückt, dass die Statik jetzt endlich stimme.

Nach aktuellem Stand könnte der Flughafen daher nicht wie derzeit angekündigt im Jahr 2020 eröffnen, sondern schon im Jahr 2019 – allerdings nur, wenn die am Bau beteiligten Baufirmen nicht innerhalb der nächsten Monate die vom Sturm geleistete Arbeit wieder zunichte machen.

Aufschwung in der Textilbranche: Bundesagentur veröffentlicht steigende Arbeitshosenzahlen

Kleiner Timmy (9) von eigener Großmutter wegen versuchten Enkeltricks angezeigt

Saarbrücken (dpo) - Die Geistesgegenwart seiner Großmutter ist dem kleinen Timmy (9) aus Saarbrücken zum Verhängnis geworden. Nachdem der Junge versuchte, den sogenannten Enkeltrick anzuwenden, um von der 78-Jährigen ein Bonbon zu erschleichen, alarmierte die Seniorin die Polizei, die Timmy vorläufig festnahm.

»Da hat er wohl gedacht, er könnte eine arme alte Frau über den Tisch ziehen, aber nicht mit mir!«, erklärte die Großmutter des Jungen. »Ich habe erst gestern Abend im Fernsehen eine Reportage über diese Gauner gesehen. Solche Tricks ziehen bei mir nicht!«

Ihr 9-jähriger Enkel, der zwei Häuser weiter wohnt, sei wie im Lehrbuch vorgegangen. Erst habe er ohne Vorankündigung an ihrer Tür geklingelt, dann habe er sich als ihr Enkel ausgegeben und sich so Zutritt zur Wohnung verschafft.

»Ich habe zunächst mitgespielt, um herauszufinden, was er vorhat«, erklärt Timmys Großmutter. »Als er dann nach einer Weile fast schon nebenbei nach einem Bonbon gefragt hat, war mir klar, woher der Wind weht, und ich rief schnell die Polizei.«

Hofft, dass der Betrüger lange hinter Gitter wandert: Timmys Großmutter (78)

Die eintreffenden Beamten nahmen den Jungen nach einer kurzen Befragung in Gewahrsam. »Leider haben wir oft mit solchen Fällen zu tun«, erklärt ein Sprecher der Saarbrückener Polizei. »Meist stecken ganze kriminelle Banden dahinter.« In einem ausführlichen Verhör versuchen die Polizisten nun, die Hintermänner ausfindig zu machen. »Es wäre in Timmys bestem Interesse, statt lautem Schluchzen und Unschuldsbekundungen endlich mal ein paar Namen zu liefern.«

Der Beamte schüttelt traurig den Kopf: »Dass der Junge sich nicht schämt … Die eigene Großmutter.«

Nach Softwareupdate: Kohlekraftwerk plötzlich sauber

Niederaußem (dpo) - Wer hätte gedacht, dass Emissionsreduktion so einfach sein kann? Nach einem Softwareupdate produziert das Braunkohlekraftwerk Niederaußem so gut wie keine schädlichen Abgase mehr. Die Betreiber haben sich bei ihrem Coup nach eigenen Angaben von den technischen Errungenschaften der Autoindustrie inspirieren lassen.

»Wir haben den Diesel-Gipfel natürlich aufmerksam verfolgt«, erklärt Kraftwerksleiter Hartmut Bansen (51). »Da wurde uns klar, wie viele der großen Probleme unserer Zeit sich mit einer einfachen Aktualisierung der Software lösen lassen.«

Freundlicherweise stellten die Autokonzerne auf Anfrage eine Version ihrer aktuellen Software zur Verfügung. »Da mussten wir nur noch ein paar Stellen im Code ändern und fertig«, berichtet Bansen begeistert. »Seitdem sind wir fast so sauber wie ein Windkraftwerk. Allein unser Ausstoß an schädlichen Stickstoffoxiden ist von 19.300 Tonnen im Jahr auf 0,8 Milligramm pro Kilometer gesunken. Und weil sich unser Kraftwerk praktisch nie fortbewegt, geht die tatsächliche Verschmutzung gegen Null.«

Derzeit gebe es sogar Überlegungen, das Areal rund um das Kohlekraftwerk in einen Luftkurort umzuwandeln:

Bei den über dem Kraftwerk sichtbaren Wolken handle es sich ausschließlich um Wasserdampf. »Das haben unabhängige Messungen ergeben«, beteuert Bansen. Verwundert habe ihn nur, dass kurz nach Abschluss der Messung der Rauch einige Zeit lang besonders dunkel war.

»Was haben wir in der Vergangenheit nicht alles probiert?«, sinniert der Kraftwerksleiter. »Wir haben immer wieder neue Filter eingebaut, haben versucht, die Effizienz der Verbrennung zu erhöhen, haben chemische Lösungen getestet …« Aber all diese Maßnahmen hätten selten zu mehr als einer Schadstoffreduktion im Promillebereich geführt. »Dabei hätten wir nur mal unsere Software updaten müssen. Danke, liebe Autoindustrie!«

Frau erschlägt Ehemann wegen »Game of Thrones«-Spoiler: Gericht entscheidet auf Notwehr

Bamberg (dpo) - Das Bamberger Landgericht hat heute eine Frau vom Vorwurf des Totschlages freigesprochen. Sie hatte ihren Mann erschlagen, um ihn daran zu hindern, Inhalte aus der Erfolgsserie »Game of Thrones« zu spoilern, die sie noch nicht gesehen hatte. Das Gericht entschied auf Notwehr.

Der vorsitzende Richter nannte das Verhalten der 35-Jährigen nach eingehender Prüfung nachvollziehbar und besonnen: »Das ist ein klassisches Beispiel für eine Notwehrsituation nach § 32 StGB«, begründete er das Urteil.

Nach Überzeugung des Gerichts blieb der Frau keine andere Möglichkeit, als ihren Gatten in Notwehr mit einer schweren DVD-Box der Staffeln 1 bis 5 zu erschlagen. Zuvor hatte sie ihn mehrmals angefleht, ihr keine Details aus der Folge zu verraten.

Irgendeiner hiervon hat wohl jemand anderen hiervon umgebracht – oder Sex mit ihm gehabt.

Die Tat stellte laut Gericht den einzigen Ausweg aus der Lage der Frau dar, zumal der Mann auch nach dem ersten Schlag trotz einer heftigen Platzwunde nicht aufhörte, Andeutungen über eine Szene zwischen Cersei und Jamie Lannister zu machen, »die alles ändere«.

Erst mehrere Schläge später schwieg er endgültig.

Während der Verhandlung hatten sich Richter und Anwälte selbst mehrmals minutenlang die Ohren zugehalten, da sie die Folge, die Gegenstand der Verhandlung war, selbst noch nicht gesehen hatten. Auch im Protokoll der Verhandlung sind entsprechende Passagen mit den Worten »Spoilerwarnung!« markiert.

Die Tatsache, dass die Angeklagte nach der Tat den Kopf ihres Mannes vom Rumpf trennte und vor ihrer Wohnungstür aufspießte, beanstandete das Gericht in seinem Urteil ausdrücklich nicht. »Angesichts der Umstände ist das ein absolut angemessenes Verhalten«, heißt es in der schriftlichen Urteilsbegründung. »Schließlich wirkt dies abschreckend auf die Nachbarn und hat folglich präventive Wirkung.«

Alle ziehen an einem Strang: Teamwork erleichtert Lynchjustiz

Bei offenem Fenster geflogen: Grund für Massenkrankmeldung von Air-Berlin-Piloten geklärt

Berlin (dpo) - Das erklärt einiges: Nachdem sich gestern 200 Piloten der insolventen Fluggesellschaft Air Berlin plötzlich krank gemeldet hatten, sprechen nun erste Betroffene über die Ursachen. Mehrere Piloten gaben heute zu, in den Tagen vor der Massenkrankmeldung regelmäßig mit offenem Fenster geflogen zu sein.

»Ich glaube, meine Kollegen und ich haben alle etwas unterschätzt, wie schnell der Sommer in diesem Jahr vorbei war«, erklärt etwa Flugkapitän Walter Blankenburg, der verschnupft auf dem heimischen Sofa sitzt. »Normalerweise werde ich nicht so schnell krank, aber die Luft über England war dann vielleicht doch etwas zu kühl.«

Wie Blankenburg geht es rund 200 seiner Kollegen. Viele öffnen während des Fluges gerne mal ein Fenster, um für Frischluft zu sorgen oder lässig den Ellbogen abzulegen. »Die meisten von uns hatten ja zusätzlich in den letzten Tagen noch ihre kurzärmeligen Sommeruniformen an«, so Blankenburg. Entsprechend die Krankheitsbilder: Husten, Schnupfen, steifer Nacken.

Besonders fatal: Oft hatte gleichzeitig auch der Co-Pilot das Fenster heruntergekurbelt, wodurch zusätzlich zum Fahrtwind auch noch unangenehme Zugluft entstand.

»So schlimm wie diesen Herbst war es bisher noch nie«, erklärt ein Sprecher von Air Berlin. Die Fluggesellschaft will ihren Piloten daher künftig untersagen, während des Fluges die Cockpitfenster zu öffnen.

Immerhin: Rauchende Piloten, die bisher auf geöffnete Fenster angewiesen waren, sollen dann alle zwei Stunden eine fünfminütige Raucherpause bekommen, in der sie kurz nach draußen gehen können.

»Hatschi!«

Diese 8 Features machen das iPhone X zum besten Smartphone aller Zeiten

Es ist der nächste ganz große Wurf: Zehn Jahre nach der Vorstellung des ersten iPhones hat Apple in Cupertino ein neues iPhone-Modell vorgestellt, das in puncto Design und Ausstattung neue Maßstäbe setzt. Diese Features zeigen, warum das iPhone X das beste Smartphone aller Zeiten ist:

1. Gehäuse komplett aus Deutscher Markenbutter

Als erstes Smartphone überhaupt verfügt das iPhone X über ein Gehäuse, das zu 100 Prozent aus Deutscher Markenbutter besteht. Zwar ist das Gehäuse gegen Stürze und Berührungen mit dem Finger etwas empfindlich und beginnt bei Temperaturen über 19 Grad zu schmelzen, doch dafür besitzt es einen edlen Glanz, liegt gut in der Hand und sieht einfach nur toll aus!

Tränke leiser: Kühe im Stall nun wesentlich entspannter

2. Doppel-Kassetten-Deck

Mit der Integration eines Doppelkassettendecks dürfte Apple die Konkurrenz eiskalt erwischt haben. Das neue iPhone X kann somit nicht nur Kassetten abspielen und aufnehmen, sondern auch Audiodateien von einer MC auf die andere überspielen.

3. Kein Home-Button mehr

Das neue iPhone X verfügt über keinen Home-Button. Darauf angesprochen sagte Apple-Chef Tim Cook während der Vorstellung: »Was? Echt kein Home-Button? Oje … Wer hat das denn verbo… äh, ich meine: Ja, natürlich! Das ist die Evolution des Smartphones! Wer braucht denn einen Home-Button? Kaufen Sie Apple!« Beeindruckend!

4. Android-Nutzer werden automatisch geblockt

Das iPhone X blockt erstmals automatisch jeden Anruf, jede WhatsApp-Nachricht und jede SMS von Android-Usern. Android-Kontakte werden außerdem automatisch aus dem Telefonbuch gelöscht. Dadurch wird gewährleistet, dass sich Apple-Nutzer endlich nicht mehr mit dem digitalen Pöbel herumschlagen müssen.

5. Tongue-ID zur Entsperrung

Seine Vorgängermodelle ließen sich noch per Fingerabdruck entsperren. Das iPhone X geht einen Schritt weiter und verfügt als erstes Smartphone überhaupt über eine Zungenerkennung. Zum Entriegeln muss schlicht einmal von unten nach oben über das Display geleckt werden. Bonusvorteil: Fettverschmierte Displays gehören damit der Vergangenheit an. Dank beständigen Ableckens bleibt das Gerät automatisch blitzeblank.

6. Irgendein grässlicher Schmarrn mit »Animojis«!

Das neue iPhone X kann als erstes Smartphone überhaupt irgendeinen grässlichen neuen Schmarrn mit Animojis. Dabei übernehmen wohl irgendwie Emojis den Gesichtsausdruck des Nutzers – warum auch immer. Jedenfalls ist das wahrscheinlich der neuste heiße Scheiß, auf den sich jetzt alle gefasst machen müssen. Und iPhone-X-Besitzer sind die Ersten!

7. Kameras überall

Insgesamt 438 Kameras sind in das neue iPhone X integriert. Es befinden sich zahlreiche Kameras vorne, noch mehr Kameras auf der Rückseite sowie weitere Kameras an den vier Kanten des Geräts. Selbst auf den meisten Kameras sind zusätzliche Kameras installiert. Kameraspaß pur! Kamera.

8. Es ist sauteuer!

Das vielleicht beste Argument für das neue Apple-Gerät: Mit einem Kampfpreis von 1149 Euro ist das iPhone X deutlich teurer als vergleichbare Geräte der Konkurrenz und stellt damit ein hervorragendes Statussymbol dar. Wow! Wie schafft Apple das immer nur?

Keine Tiere: Erster veganer Zoo lockt Tausende Besucher an

Stuttgart (dpo) - Antilopen oder Eisbären sucht man hier vergeblich: Deutschlands erster veganer Zoo hat heute in Stuttgart seine Pforten geöffnet und erfreut sich großen Andrangs. In dem ungewöhnlichen Park können Besucher anstelle von Tieren rein pflanzliche Alternativen bewundern.

»Ein veganer Zoo hat mehrere Vorteile«, erklärt Direktor Jörn Kammler. »Er riecht nicht so streng, ist aus ethischen Standpunkten besser zu vertreten und bietet trotzdem ein gleichwertiges Erlebnis wie ein echter Zoo. Wirklich, Sie werden kaum einen Unterschied merken!«

Am Eröffnungstag sind die Besucherreaktionen durchweg positiv. Lydia Szabo aus Hamburg ist etwa vom Bananen-Gehege hellauf begeistert: »Statt Affen liegen dort überall verstreut Bananen herum«, berichtet sie. »Für mich als Veganerin ist das sehr faszinierend, die Bananen bei ihrem normalen Verhalten zu beobachten. Und das Beste ist: Kein Tier muss dafür leiden.«

Neben den putzigen Bananen sind vor allem das erste artgerechte Tofu-Gehege Europas, der Seitan-Freiluftbereich, das mit Sesamöl gefüllte Falafelbecken sowie das 2000 Quadratmeter große Gemüsehaus mit zwei Gießungen am Tag große Publikumsmagneten.

Zwei Seitan-Steaks haben es sich im Freiluftgehege unter einem Rosmarinzweig gemütlich gemacht

Für den Betreiber bringt die ungewöhnliche Idee jede Menge Arbeit mit sich. »Wir beschäftigen hier über 30 Angestellte, die täglich überprüfen, ob sich auch ja kein Tier aufs Gelände geschlichen hat«, erklärt Kammler. »Allein eine einzelne eingedrungene Maus könnte unseren Ruf zerstören. Gestern Abend musste beispielsweise der Tierfänger noch kommen und einen streunenden Hund einschläfern. Der hätte sonst am Eröffnungstag unseren Ruin bedeuten können.«

Insgesamt ist der Zoodirektor mit der Eröffnungsbilanz sehr zufrieden. »Wenn es auch in Zukunft so gut läuft, können wir schon bald erste kleinere Ableger in anderen Städten eröffnen. Mir schwebt schon seit Längerem ein veganer Streichelzoo vor, in dem Kinder zum Beispiel Kokosnüsse, Petersilie oder Pfirsiche nach Belieben streicheln und herzen können.«

Todesdroge Cannabis: 91-Jähriger verstirbt 14 Tage nach Konsum eines Joints

Bremen (dpo) - Wie gefährlich ist Cannabis wirklich? Ein aktueller Fall aus Bremen befeuert die Debatte aufs Neue. Dort ist ein 91-jähriger Mann nur 14 Tage nach dem Rauchen eines Joints offenbar an den Folgen des Rauschgifts verstorben.

»Wir stehen unter Schock«, klagt seine Enkelin (41). »Ich habe schon immer befürchtet, dass Opa eines Tages dieser schrecklichen Droge zum Opfer fällt. Soweit ich weiß, hat er schon seit seiner Jugend immer wieder mal unregelmäßig gekifft.«

Inzwischen gelang es den Ärzten, die letzten Tage des Mannes nach dem fatalen Joint zu rekonstruieren. Unmittelbar nach dem Konsum soll der Mann noch mehrere Stunden auf dem Sofa vor sich hingedöst haben, bevor er sich wieder seinen Alltagsbeschäftigungen widmete.

Nur 20.160 Minuten später versagte der Körper des Rentners während eines Mittagsschläfchens plötzlich. Jede Rettung kam zu spät.

Die Bundesregierung kündigte angesichts dieses schrecklichen Vorfalls an, die Gesetze gegen den Konsum von Cannabis weiter zu verschärfen.

DFB führt Video-Assistent-Assistenten ein, der Video-Assistenten überwacht

Frankfurt (dpo) - Nach dem gestrigen irregulären 2:0-Treffer des BVB gegen den FC Köln zieht der DFB Konsequenzen: Bereits ab dem nächsten Spieltag wird es einen zusätzlichen Video-Assistenten geben, der den Video-Assistenten überwacht und so krasse Fehlentscheidungen verhindern soll.

»Der Videobeweis ist hilfreich, kann aber nie mit vollkommener Sicherheit zu einer korrekten Entscheidung führen«, erklärt DFB-Präsident Reinhard Grindel. »Daher wird künftig der sogenannte Video-Assistent-Assistent 90 Minuten lang den Video-Assistenten beobachten und im Zweifelsfall eingreifen, falls es zu Missverständnissen zwischen Video-Assistent und Schiedsrichter kommt.«

Beim irregulären Treffer des BVB gegen den FC Köln etwa hätte nach dem Eingreifen des Video-Assistenten und der Fehlentscheidung des Schiedsrichters der Video-Assistent-Assistent interveniert und dem Video-Assistenten sowie dem Schiedsrichter ein Video gezeigt, das bewiesen hätte, dass der Video-Assistent den Pfiff des Schiedsrichters nicht mitbekommen hat, was zum Missverständnis zwischen Video-Assistent und Schiedsrichter führte, so das Kalkül des DFB.

Kritiker bemängeln, dass Fußball als Spiel, bei dem umstrittene Video-Assistentenentscheidungen einfach dazugehören, mit dem Video-Assistent-Assistenten viel von seiner Spannung verlieren könnte. Zudem sei nicht ausgeschlossen, dass auch der neue Assistent Fehler mache.

Solche Sorgen sieht Grindel gelassen: »Wir testen das jetzt erst einmal, und falls sich herausstellen sollte, dass der Video-Assistent-Assistent nicht hundertprozentig zuverlässig ist, lassen wir ihn einfach von einem Video-Assistent-Assistent-Assistenten beobachten.«

Neuer trennt: Immer mehr Torhüter sortieren Abfall

»Moment, ich dachte, wir spielen Karten«: Trump von UNO zutiefst enttäuscht

New York (dpo) - So hatte er sich seine erste UNO-Teilnahme nicht vorgestellt. Statt gemeinsam mit den anderen Staats- und Regierungschefs für ein paar Tage abzuschalten und Karten spielen zu können, muss US-Präsident Donald Trump plötzlich in New York über die Probleme der Welt sprechen und endlosen Debatten beiwohnen.

»Wozu habe ich drei komplette UNO-Kartensets eingepackt, wenn dieses Treffen nichts, aber auch gar nichts mit meinem Lieblingsspiel zu tun hat?!«, so Trump polternd während seiner ersten Rede vor der Vollversammlung in New York. »Warum heißt der Laden dann überhaupt UNO hier, wenn er nichts mit UNO zu tun hat?«

Auch auf Twitter ließ Trump seiner Wut freien Lauf:

In blumigen Worten malte Trump vor Politikern aus aller Welt aus, wie er sich bereits darauf gefreut habe, mit Macron und der »heißen UN-Botschafterin Nikki Haley eine Dreierpartie UNO zu zocken« und dabei immer wieder dem französischen Präsidenten die Aussetzkarte hinzuwerfen, sodass praktisch nur Trump und Haley spielen würden. »Und am Ende hätte ich ihn mit einer 4+ Karte gnadenlos vernichtet«, so Trump kichernd.

Doch daraus wurde nichts. Stattdessen sei er zum Sitzen und Zuhören verdonnert worden. Besonders ärgerlich: Trump habe seit Wochen für das Spiel trainiert. »Ich war schon immer gut in UNO, aber ich wusste natürlich, dass ich auf harte Gegner treffen werde. Deshalb habe er sich nochmal genau die Regeln durchgelesen und an seinen Kartenmisch-Skills gefeilt. »Alle hätten mich bewundert und gefeiert«, so der Präsident enttäuscht.

Erst nach zwölf Minuten beendete Trump seine Wutrede schließlich, indem er »UNO!« sagte. Und gerade als der sichtlich verblüffte UN-Generalsekretär António Guterres anhob, den Ausfall des US-Präsidenten zu kommentieren, rief Trump »UNO UNO!« und verließ den Saal.

Vor Schrift nicht eingehalten: Mann uriniert an »Urinieren verboten«-Schild

Forscher finden in Gletscher eingeschlossenes Feuer aus der Steinzeit

Riederalp (dpo) - Sensationsfund in der Schweiz: Im Eis des Aletschgletschers haben Forscher ein nahezu perfekt erhaltenes Lagerfeuer aus der frühen Menschheitsgeschichte gefunden. Holz und Flammen werden anhand der Radiokarbonmethode auf ein Alter von rund 400.000 Jahren geschätzt. Damit ist es das älteste Feuer der Welt.

Vermutlich wurde das Lagerfeuer einst von einem Homo Erectus entzündet, der bei einer Bergwanderung rastete und Auerochsenwürste grillte. Darauf weisen Funde von Essensresten und einer mit Senf bekleckerten Lederserviette in der Umgebung der Feuerstelle hin.

Noch bevor die Flammen verlöschen konnten, wurden sie jedoch vom Eis eines wandernden Gletschers eingeschlossen und so für die Nachwelt konserviert.

»Die Flammen sind nahezu perfekt erhalten und kaum vermodert«, erklärt die Pyrologin Angelika Höner, die die ersten Untersuchungen vor Ort durchführte. »Es ist erstaunlich, wie ähnlich das Urfeuer unserem modernen Feuer ist. Zwar brannte es etwas wilder und die Spitzen der Flammen sind nicht ganz so ausgeprägt wie heute. Aber offenbar hatte es bereits vor 400.000 Jahren nahezu den gleichen evolutionären Entwicklungsstand wie heute.«

Das Lagerfeuer soll nun aus dem Gletscher geschnitten und für weitere Untersuchungen im Labor kontrolliert aufgetaut werden. »Dabei muss man gut aufpassen, dass das Feuer nicht durch das dabei entstehende Tauwasser gelöscht wird«, so Höner. Anschließend soll unter anderem versucht werden, die DNA des Feuers zu extrahieren, um sie mit der moderner Flammen zu vergleichen.

Sobald die wissenschaftlichen Untersuchungen abgeschlossen sind, soll das Urfeuer im Archäologiemuseum in Bern ausgestellt werden. Kopien sollen an das Germanische Nationalmuseum in Nürnberg und das Feuerwehr-Museum in Zürich gehen.

So oder so äh[illegible]fte es ausgesehen haben, als das [illegible] vor 400.000 Jahren entzündet wurde.

Zu Ehren von Hugh Hefner: Heute um 16 Uhr werden sich alle Frauen zwischen 18 und 35 Jahren feierlich entkleiden

Los Angeles (dpo) - *Playboy*-Gründer Hugh Hefner ist gestern, am 27. September 2017, im Alter von 91 Jahren gestorben. Aus Respekt vor seinem Lebenswerk sind heute Nachmittag um 16 Uhr alle Frauen im Alter zwischen 18 und 35 Jahren dazu aufgefordert, sich öffentlich zu entkleiden und an einem Trauermarsch teilzunehmen.

»Das sind wir Hugh schuldig und er hätte das auch so gewollt«, erklärt Hefners Ehefrau Crystal Harris, Initiatorin der Aktion »Naked for Hugh« und selbst 60 Jahre jünger als der *Playboy*-Gründer.

Rund um den Globus werden sich deshalb heute Millionen junger Frauen in Hefners bevorzugter Altersgruppe, also zwischen 18 und 35 Jahren, ihrer Klamotten entledigen und auf die Straße gehen. »Fit gebliebene über 35 Jahren sind natürlich auch herzlich eingeladen, mitzumachen«, so Harris.

Die Initiatoren rechnen mit einer Beteiligung von mindestens 95 Prozent: »Wer nicht an der Aktion teilnimmt, hat null Respekt vor einem Verstorbenen und wird mit lebenslanger Verachtung gestraft«, so ein enger Freund von Hefner, der die Aktion unterstützt.

In Deutschland ist es um 16 Uhr soweit. Jede – wir wiederholen – jede Frau, die zwischen 18 und 35 Jahre alt ist, ist angehalten, dem großartigen Hugh Hefner ihren Respekt zu zollen und sich komplett zu entblößen.

Berlin, Riad (dpo) - Da ergeben sich ungeahnte Witz-Möglichkeiten: Nach der Entscheidung des saudischen Königshauses, Frauen künftig das Autofahren zu erlauben, hat Comedian Mario Barth eine große Live-Tour durch Saudi-Arabien angekündigt.

Nachdem Frauen dort Auto fahren dürfen: Mario Barth plant Saudi-Arabien-Tour

»Hier erschließt sich auf einmal ein riesiger Markt für Mario«, erklärt der Veranstalter des 44-Jährigen. »Immerhin leben in Saudi-Arabien fast 32 Millionen Menschen, von denen etwa die Hälfte, die männliche, auch abends eine Comedy-Veranstaltung besuchen darf. Es würde mich nicht wundern, wenn wir da unten endlich wieder mal ein Stadion vollkriegen.«

Insgesamt 14 Städte will der Comedian auf seiner Tour im Sommer 2018 unter dem Titel »Männer fahren gut Auto, Frauen aber nicht!« besuchen. Teils spielt Barth in Clubs, von denen es im ganzen Land immerhin vier gibt, teils an öffentlichen Plätzen als Vorprogramm vor der Steinigung einer Ehebrecherin.

»Frauen am Steuer – für die ein völlig neuet Thema«, schwärmt Barth gegenüber dem Postillon. »Ick schreibe jerade rund um die Uhr neue Gegs. Kleine Kostprobe gefällig? Sach ma? Könn' die überhaupt wat sehn, wenn die mit ihren Burkas rückwärts einparken? Kennste? Kennste? Oder der hier: Warum fährt ne saudi-arabische Frau mit ihrem Mann zum Handtaschen-Outlet-Store? Weil sie's jetzt kann, die Sau, die arabische! Also nich fahren, aber fahren. Checkste? Oder warum fahren saudi-arabische Frauen so beschissen Auto? Weil sie durch die jahrzehntelange Unterdrückung durch das Patriarchat keine Übung haben! Kennste? Hmm, nee, den streich ick, zu viele Fremdwörter.«

So stellt sich Mario Barth mit 120 Sachen auf der Autobahn fahrende Araberinnen vor.

Mit Barth auf der Bühne stehen werden zwei professionelle Übersetzer: einer, der vom Berlinerischen ins Deutsche übersetzt und ein weiterer, der die deutschen Worte in die Landessprache überträgt.

Spanien nur noch wenige Schläge davon entfernt, Sympathien der Katalanen zurückzugewinnen

Barcelona (dpo) - Gute Nachrichten aus Spanien: Nach Einschätzung von Experten ist die Regierung in Madrid nur noch wenige blaue Augen und geprellte Rippen davon entfernt, die Sympathien der katalanischen Bevölkerung wiederzuerlangen. Demnach müsse die spanische Polizei höchstens noch zwei bis drei Dutzend friedliche Katalanen verprügeln, um die Region von ihren Unabhängigkeitsbestrebungen abzubringen.

Vor Ort scheint sich die Einschätzung zu bestätigen: »Bisher habe ich wie meine ganze Familie die Unabhängigkeit Kataloniens unterstützt«, erklärt etwa die 43-jährige Ricarda Fernán aus Barcelona. »Aber seit mein Sohn gestern in einem Wahllokal von spanischen Polizisten mit Schlagstöcken verprügelt wurde, weil er seine Stimme abgeben wollte, bin ich wieder mit der Regierung in Madrid versöhnt. Einfach toll, wie souverän die mit Protesten im eigenen Volk umgehen.«

Mit jedem blauen Auge und jeder Patrone Tränengas wächst die Liebe der Katalanen zur spanischen Regierung. »Ich war wütend, weil uns die Regierung in Madrid unterdrückt. Aber nachdem sie viele Katalanen mit Gewalt an der Abstimmung gehindert hat, habe ich dieses Gefühl nicht mehr«, sagt Pascual Rouco, der sich am Tag des Referendums eine Rippenprellung und mehrere blaue Flecken durch die von der Polizei eingesetzten Gummigeschosse zuzog. »¡Viva España!«

Wie viele Katalanen genau die Zentralregierung in Madrid noch zusammenschlagen oder verhaften lassen muss, bis die Bewohner der abtrünnigen Region sich wieder voll und ganz mit Spanien identifizieren, ist noch unklar. Experten vermuten aber, dass spätestens, wenn die Regierung Panzer auffahren lässt und es die ersten Toten gibt, die Herzen der Katalanen wieder für Madrid schlagen werden.

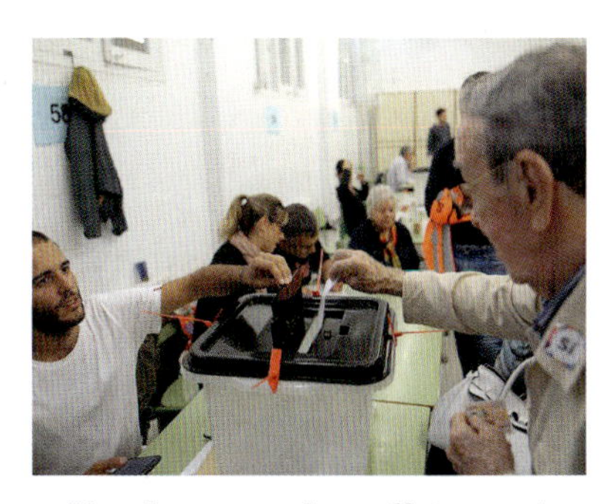

Unterlassen provokante Aktionen wie Unabhängigkeitsreferenden in Zukunft sicher, weil sie Spanien jetzt wieder lieben: Katalanen

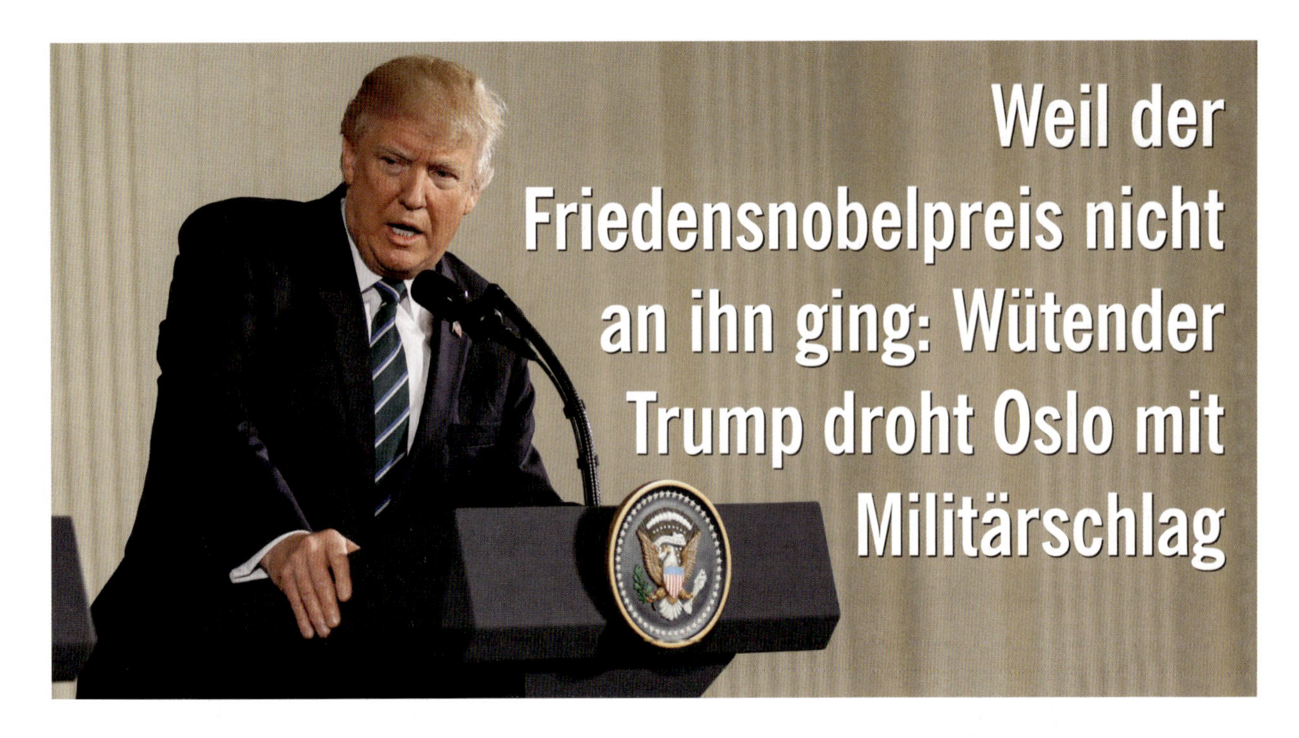

Weil der Friedensnobelpreis nicht an ihn ging: Wütender Trump droht Oslo mit Militärschlag

Washington (dpo) - Das lässt er nicht auf sich sitzen: Nachdem das Nobelkomitee in Oslo angekündigt hat, den Friedensnobelpreis in diesem Jahr an die Anti-Atomwaffen-Kampagne ICAN zu vergeben, droht Donald Trump mit einem Militärschlag. Offenbar ist der US-Präsident, der selbst auch nominiert war, wütend, dass er nicht mit dem prestigeträchtigen Preis ausgezeichnet wurde.

Auf Twitter verkündete Trump, er ziehe einen Militäreinsatz gegen Oslo in Erwägung, der die Stadt dem Erdboden gleich mache:

Donald J. Trump
@realDonaldTrump
Follow

Nobel peace prize is a total scam! Nobody did more for peace than me. The people of Oslo should be very careful if they don't want ...

7:09 AM - Oct 6, 2017

8,537 23,166 28,051

Donald J. Trump
@realDonaldTrump
Follow

... their city to be razed to the ground. That is always an option. #fakenobel

7:14 AM - Oct 6, 2017

7,603 17,939 21,167

Mitarbeiter berichteten, dass Trump kurz vor der Verkündung des diesjährigen Friedensnobelpreisträgers bester Laune war, was sich jedoch schlagartig änderte, als bekannt wurde, dass die Auszeichnung an die Anti-Atomwaffen-Kampagne ICAN ging.

Ein Insider sagte, aus dem Oval Office habe man Trump schreien gehört: »Wie können Sie es wagen? Obama hat ihn doch auch bekommen! Anti-Atom! Anti-Atom! Das würde doch Amerika nur schwächen!«

Auf seinen Tweet folgten bislang noch keine weiteren Maßnahmen. Angeblich befindet sich der US-Präsident noch immer im Oval Office, wo er bereits seit geraumer Zeit versucht, auf einem Globus herauszufinden, auf welchem Kontinent Oslo liegt.

Zu den Nackten gelegt: FKK-Spanner-Fall abgeschlossen

Sommer vorbei: Kinder und Hunde können wieder im Auto zurückgelassen werden

München (dpo) - Der Herbst ist endgültig da und auch in den kommenden Wochen klettern die Temperaturen voraussichtlich nicht mehr über 20 Grad. Wie der ADAC heute mitteilte, können Kinder und Hunde daher ab sofort auch wieder für längere Zeitspannen alleine in geparkten Autos gelassen werden.

»Die Zeit, in der bei Haustieren, Kleinkindern und Säuglingen die Gefahr bestand, dass sie einen schweren Hitzschlag erleiden, ist jetzt definitiv vorbei«, erklärt ein Sprecher des ADAC. »Eltern und Hundebesitzer können nun endlich wieder unbeschwert ihre Erledigungen machen oder für ein, zwei Bierchen in einer Kneipe verschwinden.«

Bis zu vier Stunden seien bei den derzeitigen Temperaturen auch bei Sonnenschein völlig vertretbar – wenn man etwas Wasser bereitstellt, können es sogar bis zu zwölf Stunden sein. Spätestens dann sollte aber zumindest das Wasser ausgetauscht werden.

Das Zurücklassen von Kindern und Haustieren sei allerdings nur solange unbedenklich, bis der Winter kommt und die Tagestemperaturen unter null Grad Celsius fallen. »Dann muss man natürlich wieder aufpassen«, so der Sprecher. »Zwei bis drei Stunden sind dann auch noch drin. Aber nur bei laufendem Motor und Heizlüftung.«

Machen einen Stuhlkreis: Mistkäfer treffen sich zu teambildender Maßnahme

Wegen Orkan: BER-Bauleitung schickte beide Arbeiter nach Hause

Berlin (dpo) - Sturmtief Xavier hat Nord- und Ostdeutschland noch immer im Griff. Das wirkt sich auch auf den Berliner Großsstadtflughafen BER aus: Dort haben beide Arbeiter der Großbaustelle ihre Tätigkeiten vorübergehend eingestellt. Der Brandschutzexperte Norbert Arzberger (35) und der Maurergeselle Milan Pleiner (31), die den Flughafen seit 2006 gemeinsam errichten, mussten das Baugelände bereits am Dienstag aus Sicherheitsgründen verlassen.

Der Flughafenchef versicherte zudem, man sei zuversichtlich, die Arbeiten abschließen zu können, bevor beide Bauarbeiter in den Ruhestand treten. Allerdings nur, wenn bis dahin die Rente mit 70 eingeführt wird.

Durch den Baustopp kann voraussichtlich eine Fläche von 1,2 Quadratmetern erst verspätet verputzt werden. Außerdem bleiben rund 2,40 Meter Kabel für die neue Brandschutzanlage unverlegt. Beide Arbeiten müssen nun in den kommenden Monaten oder Jahren nachgeholt werden.

Infolge des ein- bis zweitägigen Ausfalls wird sich der bereits auf rund 6 Milliarden Euro veranschlagte Bau nach ersten Schätzungen um weitere 15 bis 20 Millionen Euro verteuern. Dies sei jedoch ein geringer Preis, wenn so das Risiko minimiert worden sei, dass sich Arzberger oder Pleiner durch herabstürzende Bauteile verletzt hätten, während »Xavier« mit Windgeschwindigkeiten von bis zu 130 km/h über die Baustelle fegte, so BER-Geschäftsführer Engelbert Lütke Daldrup.

Müssen pausieren, bis »Xavier« vorbei ist: Arzberger, Pleiner

Berlin (dpo) - Schreitet die Verdummung im Land der Dichter und Denker immer weiter fort? Dönerverkäufer Hassan Sayim aus Berlin jedenfalls kann sich nur wundern, wie wenige seiner meist deutschen Kunden sich in ihrer eigenen Muttersprache korrekt artikulieren können. Denn mehrmals täglich wird bei ihm Döner »mit alles«, »mit scharf«, »ohne scharf« oder gar »mit ohne scharf« bestellt.

»Als Deutscher würde ich mich schämen, so etwas in der Öffentlichkeit zu sagen«, erklärt Sayim, während er gerade Fleisch vom Dönerspieß schneidet. »Dass die Lahmacun nicht richtig aussprechen können – geschenkt. Aber wie schwer ist es denn bitte, ›einen Döner mit allem‹ zu bestellen? ›mit allemmmmmmm‹. Nennt sich Dativ, vierte Klasse Grundschule.«

Dönerverkäufer hält Deutsche für dumm, weil sie immer »mit alles« oder »mit scharf« bestellen

Noch schockierender empfindet Sayim die ihm häufig entgegengebrachte Formulierung »mit scharf« oder »ohne scharf«. »›mit alles‹ ist ja noch ein kleiner verzeihlicher Casusfehler, aber eine Präposition mit einem Adjektiv zu kombinieren … Das tut doch einfach nur weh. Was sind das nur für Leute, die so etwas sagen? Trinken die morgens ihren Kaffee ›mit süß‹ oder wie?«

Sayim versteht nicht, warum seine Kunden nicht imstande sind, in grammatikalisch korrekten ganzen Sätzen zu ihm zu sprechen: »›Einen Döner mit allem, bitte. Und könnte ich ein wenig Chili-Pulver darauf haben?‹ Das kann doch nicht so schwer …!«

Sayim hält inne: »Moment, da kommt ein neuer Kunde. Wenn ich jetzt nicht extra dumm tue, versteht der mich gar nicht, passen Sie auf: Guten Tag der Herr, was darf's denn sein?« Der Kunde blickt ihn irritiert an. »Hä?« Hassan Sayim rollt mit den Augen und versucht es noch einmal: »Hallo ihr Bestellung bitte. Eine Döner? Mit alles? Hier esse oder mitnehme? Ja bitte setze, kommt sofort.« Der Kunde entspannt sich sichtlich und entgegnet: »Jo, aber mit ohne scharf, ne? Und schnell. Ich muss gleich Bahnhof.«

Trump ordnet Bombardierung von Waldbränden in Kalifornien an

Washington (dpo) - Die USA erklären den Flammen den Krieg: US-Präsident Donald Trump hat heute die Waldbrände im Norden Kaliforniens zur Chefsache erklärt und angeordnet, die Flammen durch großflächige Bombardierung auszumerzen. Er drohte den Waldbränden mit »Feuer und Zorn«, falls sie sich nicht sofort zurückziehen sollten.

»Sehr viele Leute sagen: Das sind die größten Waldbrände seit der Entstehung von Wäldern«, erklärte Trump in einer Pressekonferenz. »Ich habe der kalifornischen Feuerwehr gesagt: Mit Diplomatie und Wasser kommen wir hier nicht weiter. Wir brauchen eine starke militärische Antwort.«

Auf Twitter schrieb Trump:

Nur Minuten später begann die US-Airforce mit der Bombardierung brennender Landstriche in Nordkalifornien. Nach Angaben des Pentagons wurden innerhalb einer Stunde mehr als 400 Bomben abgeworfen. Nach einer Analyse der Lage soll entschieden werden, ob weitere Attacken folgen.

Anschließend verhöhnte der US-Präsident die Flammen, die sich trotz Bombardement sogar zunächst noch weiter auszubreiten schienen:

Mit seinem Angriffsbefehl macht sich Trump in Washington nicht nur Freunde: Einige mächtige Republikaner und Teile der Demokraten hatten sich im Vorfeld dafür stark gemacht, zunächst gemäßigte waldbrandfeindliche Flammen in der Region mit Benzinlieferungen zu unterstützen, bevor eigene Truppen in den Krieg geschickt werden.

Barrierefreiheit: Verkehrsschilder werden endlich mit Blindenschrift versehen

Berlin (dpo) - Der deutsche Straßenverkehr macht einen großen Schritt in Richtung Barrierefreiheit: Nach einem Beschluss des Bundesverkehrsministeriums sollen künftig alle Straßenschilder mit Braille-Zeichen für Sehgeschädigte versehen werden. Bis Ende 2018 sollen alle Schilder entsprechend umgerüstet sein.

Blindenverbände kritisierten schon lange, dass Menschen mit Sehbehinderung klassische Verkehrsschilder nicht lesen können und sich daher im Straßenverkehr bisher auf ihr Gedächtnis verlassen oder nach Gefühl fahren mussten. Andere nahmen stets einen sehenden Beifahrer mit, der ihnen sagte, was auf den entsprechenden Verkehrszeichen steht.

»Ich wurde ständig geblitzt, weil ich nie wusste, welche Geschwindigkeitsbeschränkung gilt«, erzählt Frank Schaffmann (61). Er ist einer von etwa 120.000 blinden Autofahrern in Deutschland. »Toll, dass das jetzt endlich der Vergangenheit angehört. Bei Ampeln gab's das ja schon länger, dass die blindengerecht sind, aber bei Schildern hat das echt gefehlt.«

Kann jetzt endlich Verkehrsschilder lesen: Frank Schaffmann

Einen Kritikpunkt gibt es jedoch: Da die Namen der Verkehrszeichen in der Regel in deutscher Blindenschrift verfasst sind (»Vorfahrt gewähren«, »Verbot für Fahrzeuge über einer Achslast von acht Tonnen«), bleibt der Straßenverkehr für Blinde aus dem Ausland ähnlich unübersichtlich wie zuvor.

»Ersticke!«: Berliner mit Atemnot drängelt sich in Notaufnahme vor

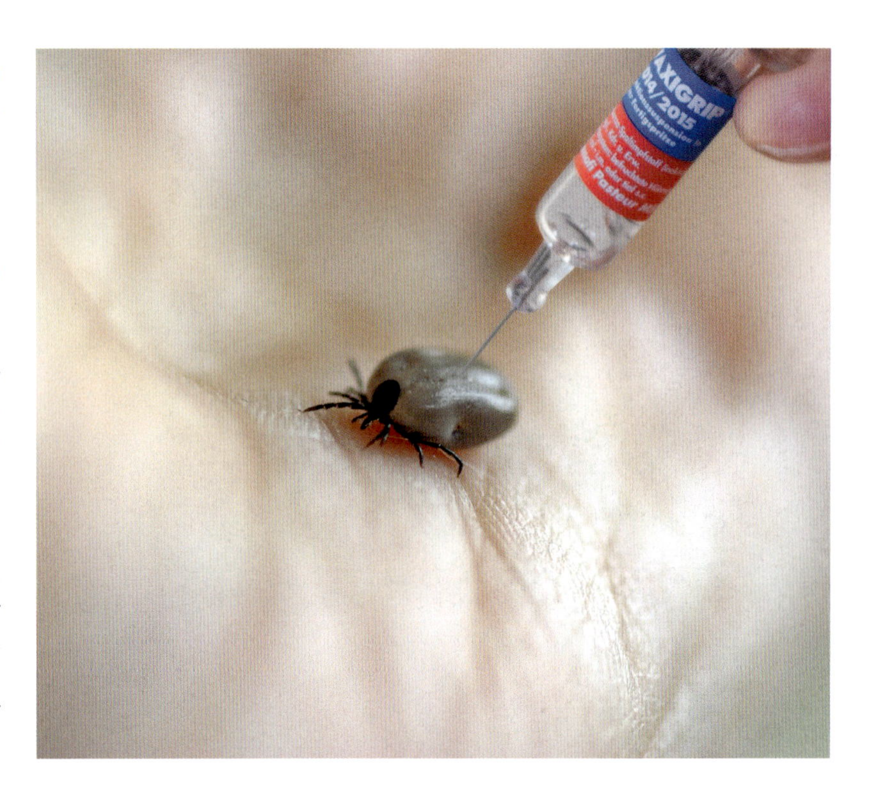

Hat Kind gebissen: Zecke wird eingeschläfert

Stuttgart (dpo) - Weil Behörden und Tierärzte kein Vertrauen mehr in das Tier haben, wird eine Zecke aus Baden-Württemberg eingeschläfert. Zuvor hatte der wohl wild gewordene Gliederfüßer einen fünfjährigen Jungen auf dem Spielplatz attackiert und in den Unterarm gebissen.

Augenzeugen zufolge schlich das Tier von hinten an den spielenden Jungen heran und verbiss sich so fest in seinem Arm, dass es nur mit einer Metallzange entfernt werden konnte.

»Das Viech war wie wild«, erinnert sich Rentnerin Ursula Scheidt, die mit ihrer Enkelin ebenfalls am Spielplatz war. »Ich habe noch überlegt, mit meinem Gehstock auf die Bestie einzuprügeln, aber ich hatte Angst, dass ich dann auch angefallen werde.«

Das Kind befindet sich inzwischen auf dem Weg der Besserung und wird glücklicherweise wohl keine bleibenden Schäden davontragen:

Nach Angaben der Polizei besaß die Zecke keine Erkennungsmarke. Ein Besitzer ließ sich bislang nicht ermitteln.

Tierfreunde kritisieren die nun angeordnete Einschläferung. »Ich finde es immer schade, wenn so ein Tier für die Verfehlungen seines Herrchens oder Frauchens bestraft wird«, erklärt Zeckenhalter Markus Denno. »Wenn Zecken in einem liebevollen Umfeld mit klaren Grenzen aufwachsen, entwickeln sie sich zu sehr sanften und loyalen Tieren. Meine eigenen Kinder, Nichten und Neffen spielen fast täglich mit meinen drei Zecken und da ist noch nie etwas passiert.«

Immerhin: Tierärztin Ursula Herberg versichert, dass die Zecke bei der Prozedur keine Schmerzen haben wird. »Sie wird nur einen kleinen Stich spüren und dann friedlich einschlafen.«

A. Schmidt-Ohren: Mann seit Annahme von Doppelnamen unerträglich

Spanien droht Katalanen mit Rauswurf, falls sie eigene Republik ausrufen

Madrid (dpo) - Spaniens Ministerpräsident Mariano Rajoy hat die Nase voll: In einer Rede zur Lage der Nation drohte er Katalonien heute mit einem Rauswurf aus dem spanischen Staat, falls die Region nicht unverzüglich alle Unabhängigkeitsbestrebungen einstelle. »Wenn die Katalanen nicht sofort mit diesem Unfug aufhören, werden sie hochkant rausgeschmissen«, so Rajoy wörtlich.

Die markigen Worte des Regierungschefs wurden von Publikum und Journalisten mit begeisterten »Separatisten raus!«-Rufen erwidert.

»Spaniens Geduld ist nicht grenzenlos. Wer sich offen gegen spanisches Gesetz stellt, der hat in unserem Land nichts mehr zu suchen«, fuhr Rajoy fort. »Dann können die Katalanen mal schauen, wie sie alleine ohne die Zentralregierung in Madrid klar kommen!«

Beobachter gehen davon aus, dass die spanische Regierung ihre Drohungen ernst meint. Bereits in der Vergangenheit ging das Land mit abtrünnigen Teilgebieten hart ins Gericht. So wurden in der Zeit zwischen 1809 und 1825 gleich mehrere südamerikanische Kolonien wie Argentinien, Bolivien, Chile, Kolumbien oder Venezuela von Madrid eiskalt vor die Tür gesetzt, weil sie Unabhängigkeitskriege angefangen hatten.

Hörbuchsprecher verspricht sich auf letzter Seite und muss wieder von vorne anfangen

Berlin (dpo) - Die ganze Arbeit für die Katz! Hörbuchsprecher Ferdinand Wörnitz (31) muss wieder von vorne anfangen, nachdem er sich auf der letzten Seite von »Krieg und Frieden« verlesen hatte. Der Freiberufler, der pro aufgenommenem Buch bezahlt wird, ist seitdem am Boden zerstört.

»Erst lief doch alles so gut«, klagt der Mann gegenüber dem Postillon. »Wie vor jedem neuen Buch habe ich stundenlang Zungenbrecher und die Aussprache von Fremdwörtern geübt, damit mich im Text nichts überraschen kann.« Ein Bekannter habe Wörnitz gar etwas Russisch beigebracht, damit ihm die russischen Namen keine Probleme bereiten.

Die Vorbereitung zahlt sich zunächst aus. Fehlerfrei und genau im richtigen Tempo liest sich Wörnitz stundenlang durch den Klassiker der Weltliteratur von Leo Tolstoi.

Doch auf der letzten Seite nimmt das Unglück seinen Lauf: »Ich war total aufgeregt, als ich sah, dass ich nur noch wenige Absätze bis zum Ende des Buches hatte«, so Wörnitz. »Außerdem musste ich schon seit Kapitel 221 dringend auf die Toilette. Und dann lese ich kurz vor Schluss bei dem Satz ›Und plötzlich fühlte Nikolai, wie Tränen in seiner Brust aufstiegen‹ statt ›aufstiegen‹ aus Unachtsamkeit einfach ›aufstießen‹. Es ist zum Heulen!«

Nun beginnt für Wörnitz die ganze Arbeit noch einmal von vorne. »Ich weiß nicht, ob ich das noch einmal durchstehe«, erklärt er. »Jetzt kenne ich die ganze Geschichte ja leider schon. Die ganze Spannung ist futsch.«

Außerdem müsse er jetzt das Buch noch einmal neu kaufen, weil er es nach seinem Verleser vor Wut in 1000 Einzelteile zerfetzt habe.

Künftig will der 31-Jährige nur noch Aufträge für Kurzgeschichten und Lyrik annehmen.

Macht kehrt: Darth Vaders Putzfrau fährt enttäuscht nach Hause

Falten, Babyspeck, lichtes Haar: Immer mehr Eltern unterziehen ihr Neugeborenes einer Schönheits-OP

Berlin (dpo) - Der Schönheitswahn erreicht Deutschlands Kinderwiegen: Nach Angaben der Bundesärztekammer unterziehen immer mehr Eltern ihr neugeborenes Kind einer oder gleich mehreren Schönheits-OPs, um ästhetische Mängel wie faltige Haut, deformierte Bauchnabel, Glatzen und Fettpölsterchen auszugleichen.

Allein im vergangenen Jahr kam es laut Bundesärztekammer zu mehr als 32.000 Eingriffen an Säuglingen in den ersten Lebenswochen, die von einfachen Botox-Behandlungen über Hautstraffungen, Fettabsaugung und Haartransplantationen bis hin zu Nasenkorrekturen reichen.

Yannick (25) und Jasmin Polke (24) aus Brandenburg sind eines der Paare, die ihr Kind aus kosmetischen Gründen operieren ließen. »Direkt nach der Entbindung sah Pascal einfach nur schrecklich aus«, berichtet Jasmin Polke von der Geburt ihres inzwischen acht Wochen alten Sohnes. »Er hatte eine regelrechte Wampe, Speckrollen überall, keine Zähne und ganz schütteres Haar. Hier auf diesem Foto mache ich gute Miene zum bösen Spiel.«

Für das Ehepaar war schnell klar: Pascal muss unters Messer. »Man will ja schließlich auch ein schönes Kind haben«, erklärt die Mutter.

Inzwischen hat Pascal einen gestrafften Bauch, volles Haar und ein strahlend weißes Gebiss. Für uns begibt sich die junge Mutter noch einmal in dieselbe Pose wie auf dem älteren Foto – ein Unterschied wie Tag und Nacht:

Auch Vater Yannick ist zufrieden: »Jetzt muss ich mich nicht mehr schämen, ein Bild von ihm auf Instagram zu posten. Schade nur, dass er noch nicht laufen und sprechen kann. Aber auch hier sind wir zuversichtlich, dass wir das in den nächsten Wochen mit Hilfe von Ärzten noch ändern können.«

Smart-Fahrer dürfen künftig den Radweg nutzen

Berlin (dpo) - Gute Nachricht für Besitzer eines Smarts! Ab 1. Januar ist es ihnen offiziell erlaubt, auch Radwege zu nutzen. Das hat das Verkehrsministerium mitgeteilt. Begründet wird die Maßnahme mit der »fahrradähnlichen Breite und Gewichtsklasse« der Kompaktwagen.

»Die Erlaubnis, auch Radwege zu nutzen, soll Smart-Fahrern jenen unnötigen Stress ersparen, den es mit sich bringt, sich die Straße mit richtigen Autos zu teilen«, heißt es in einer Stellungnahme des Ministeriums. »Häufig werden Smarts von anderen Verkehrsteilnehmern übersehen oder von der Straße gedrängt. Auf dem Radweg sind sie unter ihresgleichen.«

Je nach Breite des Radweges dürfen auch mehrere Smarts nebeneinander fahren, solange sie dabei die Begrenzungslinie nicht überqueren. Radfahrer werden gebeten, Rücksicht auf die neuen Verkehrsteilnehmer zu nehmen.

Die Nutzung des Radwegs ist freiwillig. Endet ein Radweg oder ist keiner vorhanden, darf ein Smart-Fahrer auf dem Fußgängerweg schieben oder - auf eigene Gefahr und am besten mit Helm - auf der Straße fahren.

Bis zur endgültigen Radwegtauglichkeit sind aber noch einige Hürden zu nehmen. So müssen bis zum Jahreswechsel sämtliche Smart-Fahrzeuge mit Reflektoren ausgestattet werden und über eine funktionierende Klingel verfügen, um für den Fahrradweg zugelassen zu werden.

»Prime Housing«: Neuer Amazon-Service reduziert Lieferzeit auf null, indem Kunden direkt im Warenlager wohnen

München (dpo) - Ob Express-Lieferung für Prime-Kunden, stundengenaue Zustellung in Großstädten oder Pläne für den Paketdienst mit Drohnen – der Onlinehändler Amazon will seine Ware stets noch schneller an den Kunden bringen. Nun hat der Konzern ein neues Lieferkonzept präsentiert, das alles andere in den Schatten stellt: Bei »Amazon Prime Housing« können Kunden gegen eine monatliche Gebühr direkt in einem der Warenlager wohnen – die Lieferzeit beträgt damit praktisch null.

Insgesamt 120 Wohnungen hat Amazon zum Start des neuen Services in den Regalreihen seiner insgesamt neun deutschen Logistikzentren einbauen lassen. Dort sollen schon bald bis zu 400 Personen leben – in den nächsten Jahren soll die Zahl dann auf mehrere Tausend steigen.

»Sie müssen sich nichts mehr umständlich liefern lassen – denn das gesamte Sortiment ist nur einen Handgriff entfernt«, beschreibt Amazon-Sprecher Tim Herzog das neue Konzept. »Wir bieten damit nicht nur kürzeste Transportwege, sondern auch die engste Kundenbindung, die überhaupt möglich ist.«

Platz dafür sei schließlich genug in den kilometerlangen Gängen der Lagerhäuser: »Die unteren Regalreihen bieten in jedem Logistikzentrum Raum für mehrere Hundert Wohnparzellen mit jeweils 15 bis 20 Quadratmeter Fläche, einem Doppelbett, Miniküche und einem Wohnbereich mit Stromanschluss und WLAN«, erklärt Herzog. »Sie bestellen, zahlen online und schon wenige Sekunden später ist die Ware an Ihrer Wohnungstür.«

Die monatliche Gebühr für den exklusiven Service liegt bei 979 Euro einschließlich Nebenkosten: »Die Nutzung der sanitären Einrichtungen der Mitarbeiter ist inklusive.«

Gegen einen Aufpreis von 50 Euro könne man sich sogar in einem Regal mit einer bevorzugten Warengruppe einquartieren: »Wer häufig Küchengeräte bestellt, kann sich direkt in der Haushaltsartikel-Abteilung einmieten – Lieferzeit: 0!«, schwärmt der Sprecher. »Zudem spart man sich die Miete seiner bisherigen Wohnung und hat in einem Amazon-Lager eine äußerst verkehrsgünstige Wohnlage.« Einziger Wermutstropfen: Im Winter werden die Hallen nicht beheizt. »Doch dafür kann man sich ja innerhalb von Sekunden einen Heizstrahler ans Bett bringen lassen.«

Über einen Briefkasten verfügen die Wohneinheiten allerdings nicht. Zu groß ist die Gefahr, dass der Zusteller eine Karte darin hinterlässt, die den Besteller zwingt, das Amazongebäude zu verlassen um seine gewünschte Ware in der 19 Kilometer entfernten Postfiliale abzuholen.

Arschloch, das Zeitumstellung erfand, hatte ganz offensichtlich keine kleinen Kinder

Berlin, München, Hamburg (dpo) - Das miese Arschloch, das vor über 100 Jahren die Zeitumstellung erfand, hatte ganz offensichtlich keine kleinen Kinder. Zu dieser Erkenntnis kamen heute Morgen wieder einmal Millionen Eltern, die noch mindestens eine Woche lang mit dem völlig verkorksten Schlafrhythmus ihres Nachwuchses zu kämpfen haben werden.

»Ich weiß praktisch nichts über den verfluchten Idioten, der uns diese Scheiße eingebrockt hat«, erzählt etwa Sabine Degenhart aus München mit vor Müdigkeit geröteten Augen. »Das mag ein schlauer Mann gewesen sein. Oder ein dummer Mann. Klar ist nur, dass er exakt null Kinder hatte, als er sich diesen Mist ausgedacht hat. 100 Pro«, so die dreifache Mutter.

Ihr Mann Jörg nickt. »Im Schnitt brauchen unsere Kinder sieben Tage, bis sie nicht mehr schon während des Abendessens vor Müdigkeit unausstehlich werden und morgens eine Stunde zu früh aufwachen. »Ich weiß nicht, was ich davon mehr hasse. Definitiv hasse ich den Erfinder der Zeitumstellung, den kinderlosen Arsch.«

Andere wiederum gehen eher davon aus, dass der Erfinder der Zeitumstellung keine Haustiere hatte, die plötzlich eine Stunde früher Gassi gehen wollen. »Ich wünschte, dem würde mal jemand morgens um sieben auf den Teppich kacken«, murmelt Hundebesitzer Matthias Kurz wütend, während er den Wohnzimmerteppich putzt, weil er heute morgen nicht rechtzeitig mit seinem Hund Balou nach draußen ging.

In einer aktuellen Umfrage des Meinungsforschungsinstituts Opinion Control stimmten 98 Prozent der Befragten mit Kindern oder Haustieren folgender Aussage zu: »Wenn ich eine Zeitmaschine hätte, würde ich in die Vergangenheit reisen und dem Erfinder der Zeitumstellung ordentlich die Fresse polieren.« Bei Leuten ohne Kinder oder Haustiere waren es lediglich 62 Prozent.

Häslich: Kind hat riesige Schneidezähne

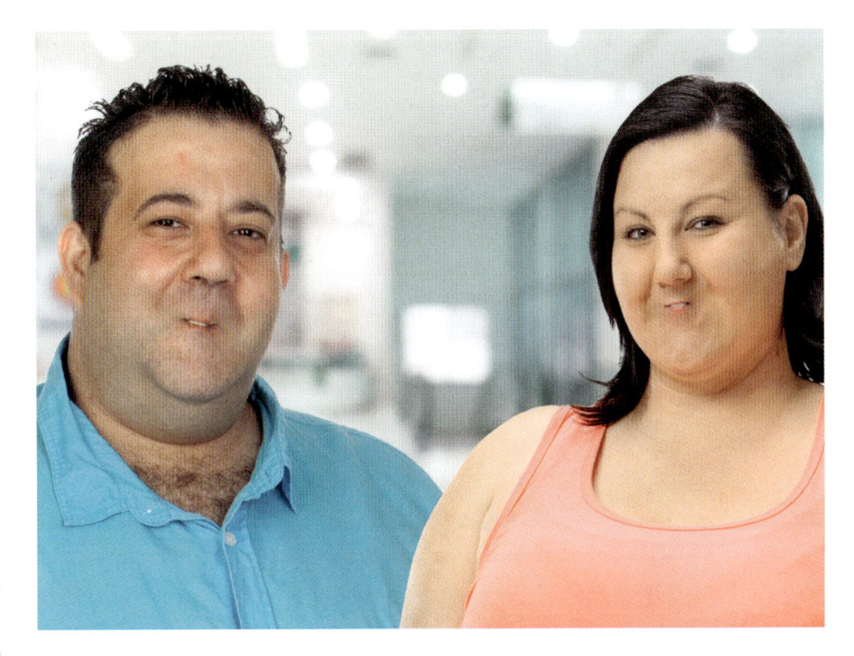

Klinik bietet erstmals Mundverkleinerung für stark Übergewichtige an

Münster (dpo) - Eine Privatklinik in Münster bietet Patienten erstmals eine völlig neuartige Methode zur Gewichtsreduzierung an. Bei der Mundverkleinerung (Reductio Oralis) wird der Mund soweit verkleinert, dass anschließend nur noch kleinere Portionen gegessen werden können. Der Eingriff gilt als günstige und weniger invasive Alternative zur Magenverkleinerung.

»Die Mundverkleinerung setzt einen Schritt früher an als ein klassisches Magenband und erfordert nicht einmal eine Vollnarkose«, erklärt Dr. Angela Wontraschek, die die Methode gemeinsam mit mehreren Kollegen entwickelte. »Durch die Reduktion des Essorgans wird es für den Patienten quasi unmöglich, übergroße Mengen an Nahrung aufzunehmen.«

Bei der Mundverkleinerung wird der Mund in seiner ursprünglichen Form erhalten, aber durch eine ausgeklügelte Kombination aus Lippengewebeentnahme und geschicktem Vernähen auf etwa 15 Prozent der ursprünglichen Größe reduziert. »Unsere Faustregel lautet: Mehr als eine Erbse sollte nicht durchpassen«, so Wontraschek.

Einer von Dr. Wontrascheks Patienten ist Manfred Löbnau, der nach seiner Operation vor zehn Monaten bereits 28 Kilogramm abgenommen hat. »Üs üst ünfüch pürfükt«, berichtet er. »Üch üssü jützt günz vülü Süppün müt düm Strühülm, üb ünd zü mül Spüghüttü. Dü Pfündü pürzüln ünfüch wü vün sülbst.«

Nur das Zähneputzen bereitet dem 31-Jährigen seit dem Eingriff Probleme. »Übür wünn üs sü wütürgüht, künn üch münün Münd schün büld wüdür ün klünüs Stückchün vürgrüßürn lüssün«, erklärt er zufrieden.

Wontraschek selbst bleibt ob solcher Erfolgsgeschichten bescheiden: »Für mich ist es die größte Belohnung, wenn ich nach einer erfolgreichen OP das glückliche, winzige Lächeln im Gesicht meiner Patienten sehe.«

Derzeit forschen die Münsteraner Mediziner, ob und inwiefern eine Mundvergrößerung chronisch untergewichtigen Menschen helfen kann.

Wegen der ständigen Reibereien: Aladin trennt sich von Wunderlampe

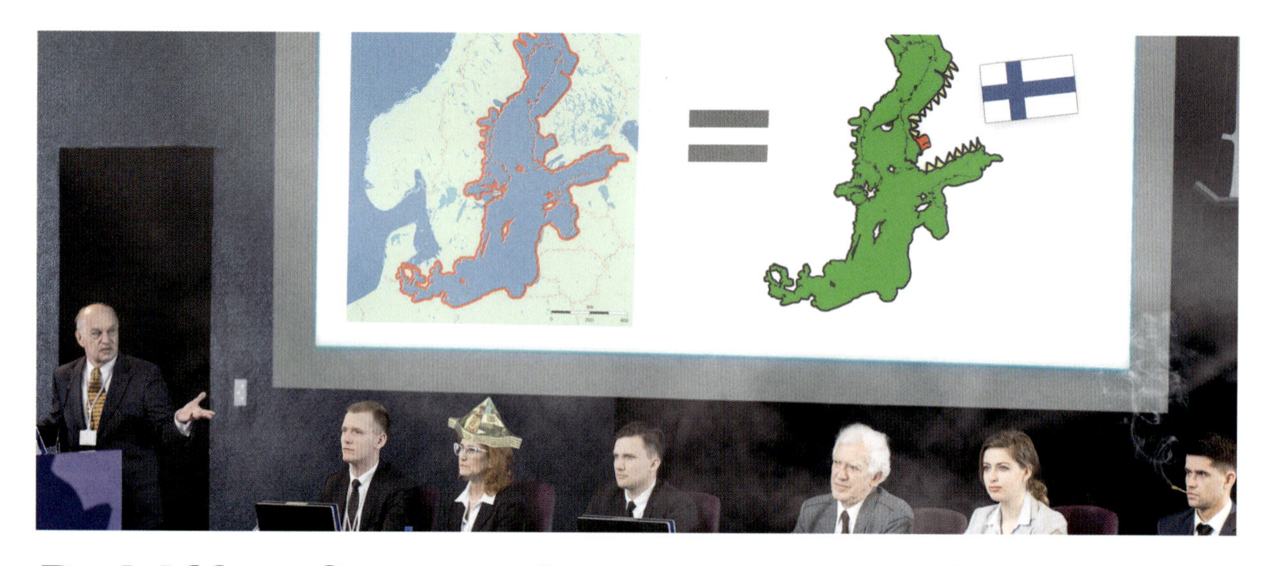

Bekiffte Geografen warnen: Ostsee in Wahrheit riesiges Krokodil, das Finnland fressen will!

Kiel (dpo) - Finnland ist in Gefahr! Denn laut einer Warnung mehrerer bekiffter Geografen der Universität Kiel handelt es sich bei der Ostsee nicht, wie bisher angenommen, um ein europäisches Binnenmeer, sondern um ein riesiges Krokodil. Dieses sei kurz davor, das nordeuropäische Land zu verschlingen.

»Die gesamte finnische Bevölkerung muss umgehend evakuiert werden!«, erklärt einer der bekifften Wissenschaftler, während seine Kollegen mit sichtlich geröteten Augen nicken und versuchen, einigermaßen seriös zu wirken. »Das Untier hat schon seine Kiefer um das gesamte Land gelegt und kann jeden Moment zuschnappen!«

Zu dieser bahnbrechenden Erkenntnis sei das Geografen-Team im Rahmen eines »privaten Treffens bei einem gemütlichen Pfeifchen und Brownies« beim gemeinsamen Studium einer Europakarte gekommen.

Das Krokodil ist nach Berechnungen der Forscher etwa 412.000 Quadratkilometer groß und rund 21 Billionen Tonnen schwer.

»Krass eigentlich, dass das vor uns noch niemandem aufgefallen ist«, so die Wissenschaftlerin mit dem Zeitungshut. »Wahrscheinlich, weil es auf den meisten Karten fälschlicherweise blau statt grün eingezeichnet wurde. Ein Glück, dass wir die Weltöffentlichkeit noch rechtzeitig alarmiert haben.«

Die bekifften Geografen wollen nun prüfen, ob es möglich ist, das blutrünstige Reptil mit einem riesigen Stiefel, den sie im Mittelmeer entdeckt haben, totzutreten oder wenigstens in die Flucht zu schlagen.

Davor steht jedoch erst eine umfangreiche Pizzabestellung mit einer Vielzahl möglicher Belagskombinationen an, der sich das Forscherteam derzeit mit höchster Konzentration widmet.

Seit 1935 geschlossene Box geöffnet: Schrödingers Katze ist eindeutig tot

Wien (dpo) - Durch einen Zufallsfund wurde eine fast 100 Jahre alte wissenschaftliche Frage endgültig geklärt: Ist die Katze aus dem unter dem Namen »Schrödingers Katze« berühmt gewordenen Experiment tot oder lebendig? Das Tier war mit einer Giftampulle in einer Box eingesperrt, erst die Öffnung der Box hätte Klarheit bringen können. Archivare der Universität Wien haben die Box nun gefunden und die Frage beantwortet: Die Katze ist eindeutig tot.

»Ziemlich lange schon, muss man sagen«, teilt Archivar Ernst Bebner mit, der die Box in einem Keller der Universität entdeckte. »Die Giftampulle war sogar noch intakt, das Tier ist wohl leider verdurstet.«

Eigentlich sollte der Versuch des Nobelpreisträgers Erwin Schrödinger (1887-1961) einen quantenmechanischen Schwebezustand veranschaulichen, in dem die Katze weder tot noch lebendig ist, bis eine Messung - die Öffnung der Box - vorgenommen wird. Doch offenbar vergaß der als zerstreut geltende Physiker das Tier anschließend einfach.

»Dass sie jetzt tot ist, tut mir leid«, seufzt Bebner. »Ich weiß nicht, was das alles für die Quantenmechanik bedeutet, aber das werden die Wissenschaftler hoffentlich bald klären.«

Tatsächlich tüfteln Forscher bereits an einer Modifikation des Versuchsaufbaus, um Schrödingers Gedankenexperiment weiterhin verwenden zu können. Dazu soll das Gift in der Box durch ein starkes Voodoo-Zauberelixir ersetzt und die Box wieder versiegelt werden. Dadurch befindet sich die Katze bis zur erneuten Öffnung der Box in einem neuerlichen Schwebezustand zwischen tot und untot.

Ganz sauber war er nicht, wenn man drüber nachdenkt: Erwin Schrödinger

Es sprudelte nur so aus ihm heraus: Pubertierender erzählte aufgeregt vom ersten Orgasmus

Rufschädigung: Millionär verklagt SZ, weil er nicht in den Paradise Papers erwähnt wird

München (dpo) - Sein Ruf ist ruiniert: Ein deutscher Multimillionär hat Klage gegen die *Süddeutsche Zeitung* eingereicht, weil sein Name im Zusammenhang mit den sogenannten Paradise Papers, die Steuervermeidungstaktiken der Superreichen aufdecken, nirgends auftaucht. Seit der Enthüllung könne er sich nicht mehr bei seinen Millionärsfreunden blicken lassen, ohne schief angeschaut zu werden, so der 52-Jährige.

»Alle meine Freunde sind in den Paradise Papers drin, nur ich nicht«, klagt Anton Borcherding. Nicht in einem einzigen Presseartikel werde er auch nur mit einer Andeutung erwähnt.

»Im Golfclub tuschelt man schon hinter meinem Rücken«, fährt er fort. Einige Nachbarn seiner Villa in Bogenhausen würden ihn sogar schon seit Tagen nicht mehr grüßen und selbst seine Kinder müssten leiden: »Im Schweizer Business-Internat wollen die Mitschüler nicht mehr neben meinem Sohn sitzen«, seufzt er. »Der Schuldirektor hat mich sogar angerufen und mir mangelnde Vorbildfunktion vorgeworfen.«

Dabei hat der Unternehmer seine Finanzen so geregelt, wie es sich für einen Multimillionär seines Standes gehört. »Ich habe drei Briefkastenfirmen auf Aruba, zwei auf den Bahamas und meiner Frau gehört offiziell ein Leasingunternehmen auf der Isle of Man. Allein im letzen Jahr habe ich 11 Millionen Euro an Steuern eingespart. Aber die Rufmörder bei der Süddeutschen erwähnen das mit keinem Wort.«

Inzwischen hat Anton Borcherding beim Landgericht München II eine Klage gegen die *Süddeutsche Zeitung* wegen »übler Nachrede durch Unterlassen« eingereicht. »Wir fordern eine angemessene und faire Berichterstattung über unseren Mandanten«, erklärt sein Rechtsanwalt Wilfried Staubrecht. »Aufgrund der bereits eingetretenen Beeinträchtigung seiner gesellschaftlichen Stellung verlangen wir zudem ein Schmerzensgeld von 500.000 Euro – zahlbar auf sein Girokonto bei der Bank of Cayman.«

Sao Paulo: Erstes Transgender-Schwein anerkannt

Gleichberechtigung: Männer fordern eigene Geschlechtsendung

Berlin (dpo) - Wie lässt sich die deutsche Sprache fairer gestalten? Immer mehr Männerrechtsaktivisten fordern eine eigene Substantiv-Endung für Männer. Neben Berufsbezeichnungen wie »Bäcker«, »Frisör« und »Professor«, die oft für beide Geschlechter verwendet werden, wollen sie »Bäckerer«, »Frisörer« und »Professorer« als rein männliche Formen etablieren.

Allgemein	♀	♂
Bäcker	Bäckerin	Bäckerer
Frisör	Frisörin	Frisörer
Polizist	Polizistin	Polizister

»Frauen haben schon lange ihre eigene Endung ›-in‹ beziehungsweise ›-innen‹, mit der ganz klar nur weibliche Personen gemeint sind«, erklärt Joachim Willer vom Linguistischen Männerbund (LMB). »Wir Männer dagegen müssen uns meistens mit dem generischen Maskulinum begnügen, das zwar schon irgendwie Männer meint, aber meistens auch Frauen.«

Was er meint, zeigt Willer an einem Beispiel: »Wenn ich sage, ich gehe zum Frisör, ist noch völlig unklar, ob der Friseur männlich oder weiblich ist. Wenn ich sage, ich gehe zur Frisörin, weiß jeder Bescheid, dass es sich um eine Frau handelt. Das ist ungerecht!«

Künftig soll daher nach dem Wunsch des LMB die Zusatzendung »-er« eindeutig signalisieren, dass es sich um einen oder mehrere Männer handelt. Die bisher sowohl für Männer als auch für beide Geschlechter verwendete herkömmliche Maskulinform soll dann endgültig zur rein neutralen Bezeichnung werden, mit der Männer und Frauen gleichermaßen gemeint sind.

Männer gehen in der Geschäftswelt oft unter, weil sie keine eigene Geschlechtsendung haben.

Die folgenden Beispiele zeigen, wie die neue Maskulinendung für verschiedene Berufe aussieht (neutral/weiblich/männlich): Polizist-Polizistin-Polizister, Professor-Professorin-Professorer, Gynäkologe-Gynäkologin-Gynäkologer, Steinmetz-Steinmetzin-Steinmetzer, Chirurg-Chirurgin-Chirurger, Papst-Päpstin-Papster,Pilot-Pilotin-Piloter, Arzt-Ärztin-Arzter etc.

Darüber hinaus kann die neue Endung auch bei einigen Substantiven verwendet werden, die keine Berufsgruppen bezeichnen. Faustregel: Wenn es eine weibliche Form mit -in gibt, dann muss es auch eine männliche Form mit -er geben. Beispiele (neutral/weiblich/männlich): Kosmopolit-Kosmopolitin-Kosmopoliter, Psychopath-Psychopathin-Psychopather, Retter-Retterin-Retterer, Freund-Freundin-Freunder, Verehrer-Verehrerin-Verehrerer, Feminist-Feministin-Feminister.

Der Linguistische Männerbund hoffe, dass die Politikerinnen und Politikerer die Neuerungen schnellstmöglich einführen, damit die Benachteiligung männlicher Deutscherer schon bald ein Ende habe, so der Sprecherer.

Autofahrer verzichtet doch lieber auf Auffahrunfall, weil Vordermann einen »Baby an Bord«-Sticker hat

Krefeld (dpo) - Das war knapp! In der Nähe von Krefeld hat es sich ein Pkw-Fahrer in letzter Sekunde anders überlegt und verzichtete doch lieber auf eine Kollision mit dem vor ihm fahrenden Fahrzeug. Grund für den plötzlichen Sinneswandel des 44-Jährigen war der »Baby an Bord«-Aufkleber auf dem vor ihm fahrenden Pkw.

»Ich hatte mich schon voll damit abgefunden, da mit Karacho hinten reinzurauschen«, erinnert sich Armin Peters an den Moment, in dem der Wagen seines Vordermannes an einer gelben Ampel abrupt bremste. »Aber dann sah ich gerade noch rechtzeitig den Aufkleber und stieg doch noch voll in die Eisen. Ich meine, sowas will man ja keinem Kind zumuten.«

Experten werben in Kooperation mit dem Bundesverkehrsministerium schon seit Jahren dafür, dass Eltern auf die entsprechenden Aufkleber zurückgreifen. »Egal, ob es sich dabei um einen klassischen Baby-an-Bord-Spruch oder um ein stilisiertes Kind mit einem hübschen Namen wie Lennox-Julian oder Senna-Maja handelt, diese Bildchen können Leben retten«, erklärt Verkehrsexpertin Senna-Maja Brömmel. »Wichtig ist: Je größer und auffälliger, desto besser.«

Psychologen vermuten, dass die Bilder von Babys oder Kinderfüßen bei Autofahrern, die gerade dabei sind, ein anderes Fahrzeug zu rammen oder von der Straße abzudrängen, das Empathiezentrum im Gehirn stimulieren und unwillkürlich zu einer verantwortlicheren Fahrweise führen. 9 von 10 potenziellen Unfallverursachern verzichten demnach auf einen Crash mit einem derart markierten Fahrzeug.

Armin Peters jedenfalls muss sich jetzt ein anderes Fahrzeug suchen, um seinen Auffahrunfallplan zu verwirklichen. »Kein Problem. Hier fahren ja jede Menge Karren rum, die keinen solchen Aufkleber haben«, so der 44-Jährige.

Veryeaht: H.P. Baxxter kann für Textfehler nicht mehr belangt werden

EU-weite Genehmigung durchgesetzt: Union stößt zur Feier des Tages mit Glyphosat an

Berlin (dpo) - Nach so einer Großtat darf schon mal gefeiert werden: Nachdem Landwirtschaftsminister Christian Schmidt (CSU) im Alleingang für eine längere Genehmigung von Glyphosat gestimmt hat, haben die Spitzen der Unionsparteien gemeinsam angestoßen und sich einen Halbliter-Behälter des beliebten Unkrautvernichters gegönnt.

»Prost!«, ruft Christian Schmidt, der sich bei der Abstimmung der EU-Mitgliedsstaaten zur allgemeinen Überraschung nicht enthielt wie mit Koalitionspartner SPD vereinbart, sondern für die Beibehaltung von Glyphosat stimmte. »Auf fünf weitere Jahre unkrautfreie Äcker! Auf Monsanto!«

Die Politiker nehmen einen tiefen Zug aus der Pulle. »Aaaah! Man spürt richtig die nachhaltige wurzeltiefe Wirkung«, sagt CSU-Chef Horst Seehofer, während Bundeskanzlerin Angela Merkel kurz aufstößt und kichern muss. »Das ist ja eh schon im Bier, aber pur schmeckt das Zeug immer noch am besten. Also auf jeden Fall, ich muss schon sagen, ich bin stolz auf dich, Christian!«, lobt Seehofer und merkt an: »Von wegen krebserregend. Ich schmeck da keinen Krebs raus.«

Der Zeitpunkt der Entscheidung kommt für die Unionspolitiker in einem günstigen Augenblick: Zwar sprachen sich bei einer aktuellen Umfrage 77 Prozent der Deutschen gegen die weitere Verwendung von Glyphosat aus, doch die nächste Bundestagswahl ist erst in vier Jahren.

Wieder stoßen Schmidt, Merkel und Seehofer an. »Und was ist, wenn die SPD deshalb jetzt die Neuauflage der großen Koalition blockiert?«, fragt Schmidt nachdenklich an seiner Glyphosat-Flasche nippend. »Dann gäb's ja doch bald Neuwahlen.«

»Dann lassen wir dich einfach als Minister fallen! Das wird die schon beruhigen«, so Merkel, woraufhin die drei Politiker in Gelächter ausbrechen und ihren Pflanzengiftbehälter schließlich leeren.

Schmidt kichert noch ein wenig weiter, bis seine Augen plötzlich groß werden. »Öh, Moment mal ...«

Noch ein Hauch von Ingvar: Schwedischer Koch rülpst in Wok-Gericht

USA völlig isoliert: IS tritt als letzter Staat Pariser Klimaabkommen bei

Bonn (dpo) - Nach zähen Verhandlungen ist der IS heute als letztes Land offiziell dem Pariser Klimaabkommen beigetreten. Damit sind die USA, deren Präsident Donald Trump im Juni 2017 beschlossen hatte, das Abkommen einseitig aufzukündigen, endgültig isoliert auf der klimapolitischen Weltbühne.

Ein Sprecher des IS verkündete am Rande der 23. Weltklimakonferenz in Bonn, dass der Islamische Staat die Verpflichtungen des Abkommens von 2015 vollständig anerkennen und umsetzen wolle.

»Unser langfristiges Ziel mag sein, alle Ungläubigen umzubringen, aber die Schöpfung Allahs wollen wir natürlich wahren«, so der Sprecher. »Daher werden wir unseren Teil beitragen, um die Erderwärmung auf maximal zwei Grad Celsius bis zum Jahr 2100 zu begrenzen.«

Viel Lob erhielten die Delegierten der Terrormiliz in Bonn dafür, dass sich die Treibhausgasemissionen des IS in den vergangenen zwei Jahren aufgrund der großen Gebietsverluste bereits drastisch reduziert haben.

Zudem verpflichtet sich der IS, ab 2022 nur noch Solarsprenggürtel zu nutzen und Anschläge mit Pkw oder Lkw ausschließlich mit elektrisch betriebenen Fahrzeugen durchzuführen. Anstelle von Chemiewaffen wolle man künftig auf biologische Waffen setzen.

Wer den Vorschriften nicht Folge leistet, wird mit einer emissionsfreien Steinigung bestraft.

Katze frisst Laserpointerpunkt und muss notoperiert werden

Wuppertal (dpo) - Nicht schon wieder! Eine zweijährige Hauskatze musste heute in Wuppertal notoperiert werden, nachdem sie beim Spielen mit ihrer Besitzerin einen Laserpointerpunkt verschluckt hatte. Experten warnen schon länger davor, die Geräte, die eigentlich dafür entwickelt wurden, bei Präsentationen auf Details hinzuweisen, zur Beschäftigung von Haustieren zu verwenden.

Immer noch traumatisiert: Katze (rechts im Bild) und Besitzerin nach der OP

»Hätte ich gewusst, wie gefährlich diese Dinger für Katzen sind, hätte ich mir nie einen Laserpointer ins Haus geholt«, schluchzt Laura Wagmühl, während sie ihre immer noch arg mitgenommene Katze Mitzi streichelt. »Den roten Punkt zu jagen, war ihre absolute Lieblingsbeschäftigung.«

Heute Morgen geschieht dann das Unglück: »Irgendwie war ich für eine Sekunde zu langsam und Mitzi hat es geschafft, den Punkt zu fangen«, erinnert sich die Kindergärtnerin. »Sie hat ihn einfach mit einem Haps verschluckt. Am Anfang habe ich mir noch gar nichts Schlimmes dabei gedacht, sondern mich nur geärgert, dass ich jetzt einen neuen Laserpointer brauche.«

Doch wenige Minuten später kommt aus dem Maul der Katze plötzlich Qualm. Es riecht verbrannt. Wagmühl fährt das wehleidig miauende Tier sofort zu einer nahegelegenen Tierarztpraxis – keine Sekunde zu früh, wie sich später herausstellt. In einer Notoperation öffnen die Mediziner den Bauch der Katze und entfernen den Laserpointerpunkt aus ihrem Magen.

»Noch ein bisschen länger und der Punkt hätte ein Loch durch die Magenschleimhaut gebrannt«, so Verterinärmedizinerin Katja Löhrach, während sie den roten Punkt mit einer Pinzette hochhält und schließlich in den Mülleimer fallen lässt. »Wann kapieren die Leute endlich, dass Laser kein Spielzeug sind?«

Besonders bei Katzen sei die Gefahr innerer Verbrennungen hoch, weil sie geschickter sind als Hunde und es ihnen daher öfter gelingt, den Punkt zu fangen. Jährlich sterben rund 400 Katzen an verschluckten Laserpointerpunkten.

»Mir kommt so ein gefährliches Gerät nie wieder ins Haus«, erklärt Laura Wagmühl. Stattdessen will sie Mitzi künftig nur noch mit einem guten alten Teleskop-Zeigestab beschäftigen.

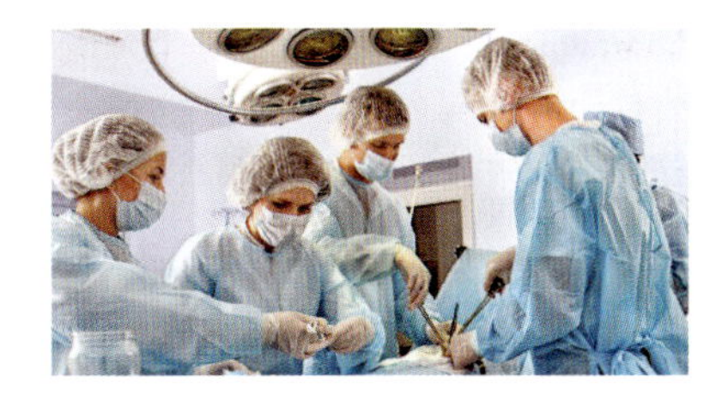

Oft die letzte Rettung: Notoperation

Endlich: Schwangerschaftstest jetzt auch per Smartphone-App möglich!

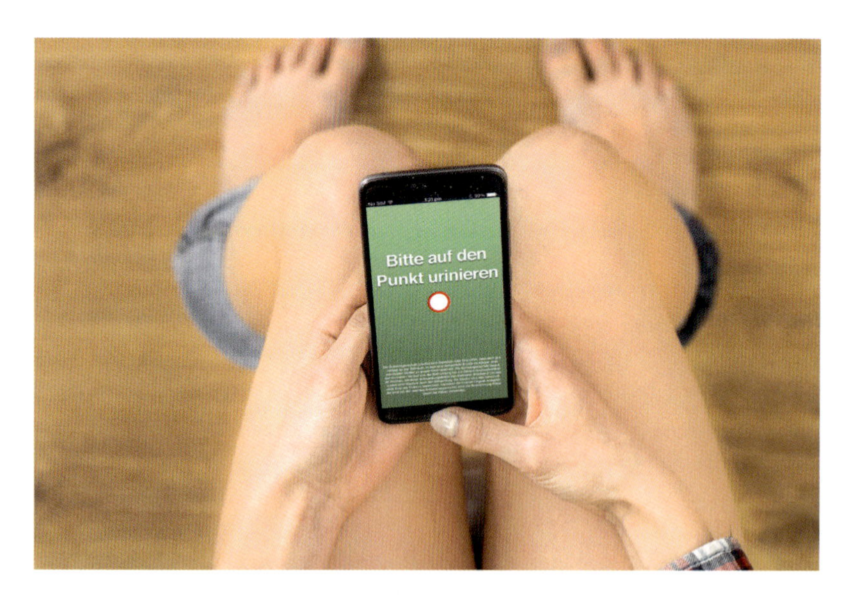

Berlin (dpo) - Eine neue Smartphone-App sorgt für Aufsehen: Mit »PregnanC« können User unkompliziert ihren Schwangerschaftsstatus erfahren, indem sie auf ihr Handy urinieren. Die Applikation richtet sich vorrangig an weibliche Nutzer und ist mit allen Apple- sowie Android-Smartphones kompatibel.

Die Funktionsweise der App ist denkbar einfach: Die Anwenderin pinkelt im ersten Schritt mindestens 10 Sekunden lang auf den angezeigten grauen Punkt in der Bildschirmmitte. Um das Ergebnis nicht zu verfälschen, empfiehlt der Hersteller, den Test ohne Displayschutz oder Hülle durchzuführen.

Bereits nach zwei bis drei Minuten ist das Resultat des Tests zu sehen – bei einer Schwangerschaft wird eine animierte Gratulationsbotschaft mit Baby-Soundeffekten abgespielt und ein Selfie der glücklichen Mutter geschossen. Anschließend kann das Ergebnis, das laut Hersteller zu 99 Prozent korrekt ist, ganz einfach in allen gängigen Netzwerken geteilt werden.

Der Erfolg der App scheint vorprogrammiert – immerhin kann sie im Gegensatz zu analogen Schwangerschaftstests beliebig oft eingesetzt werden.

Auch die ersten Nutzer-Rezensionen sind positiv: »Hat mir in nur wenigen Minuten gezeigt, dass ich nicht schwanger bin«, schreibt etwa Userin Ulrica85. »Man muss aber schon gut aufpassen, dass einem das iPhone dabei nicht ins Klo fällt. Sonst tipptopp!«

KatieMaus99 hingegen gibt nur 3 Sterne: »Eigentlich super. Aber bei mir kam schwanger raus und als ich dann voll aufgeregt meinen Freund angerufen habe, war danach mein Ohr nass. Hoffentlich wird das beim nächsten Update behoben.«

PregnanC ist erhältlich auf Google Play (1,99 Euro) und im AppStore (4,99 Euro). Eine Version im Microsoft Store ist derzeit noch nicht geplant, da die beiden einzigen Windows-Phone-Besitzer männlich sind.

Fakealien: Exkremente stammen nicht von Außerirdischem

Berlin (dpo) - Ein Berliner Familienvater besitzt seit Kurzem ein magisches Gefährt, das im Straßenverkehr wie eine Tarnkappe wirkt und seinen Benutzer für andere Verkehrsteilnehmer vollkommen unsichtbar macht.

Mann besitzt magisches Fahrzeug, das ihn im Straßenverkehr unsichtbar macht

»Ich bin seit über 25 Jahren als Autofahrer auf den Straßen unterwegs«, sagt Peter Malkwitz (45). »Da ich nicht mehr der Jüngste bin und auch keinen Sport treibe, wollte ich kürzere Strecken nun auch mal mit dem Zweirad zurücklegen.« Daher habe er sich im September ein fabrikneues Fahrrad gekauft. »Laut Verkäufer ein ganz normales City-Bike mit sieben Gängen.«

Was er dann allerdings erlebte, überstieg die Vorstellungskraft des Berliners: »Offenbar wusste der Händler nicht, welche magischen Kräfte diesem Gefährt innewohnen«, so Malkwitz. »Kaum fuhr ich mit dem Rad auf der Straße, war ich für alle anderen Verkehrsteilnehmer völlig unsichtbar.«

So sieht es für Autofahrer aus, wenn Peter Malkwitz direkt vor ihnen radelt.

Zuerst habe er festgestellt, dass parkende Autofahrer unmittelbar vor ihm die Tür aufrissen. »In deren Wahrnehmung war ich einfach nicht da, selbst wenn ich laut klingelte!« Dann habe er die Probe aufs Exempel gemacht und sei etwas weiter mittig auf der Straße gefahren: »Prompt fuhren die Autofahrer so dicht auf, dass ich wie wild beschleunigen musste, um nicht überfahren zu werden.« Wenn er dagegen wieder extra weit am Fahrbahnrand fuhr, rasten die Autos so knapp an ihm vorbei, dass er mehrmals auf den Gehweg ausweichen musste. »Ich war für sie einfach Luft«, so Malkwitz.

Absolute Gewissheit habe er schließlich gehabt, nachdem er auf dem Fahrradweg drei Kreuzungen überquert hatte. »Hätte ich nicht jeweils Vollbremsungen gemacht, wären rechts abbiegende Autofahrer einfach so durch mich hindurchgefahren.«

Das ist aber noch nicht alles, denn neben der eigenen Unsichtbarkeit kann das Tarnkappen-Fahrrad seinem Besitzer durchaus auch Vorteile verschaffen: »Der Zauber-Drahtesel lässt während der Fahrt auch andere Gegenstände einfach verschwinden«, staunt Malkwitz. »Bei meinen Touren durch die ganze Stadt habe ich nämlich bislang weder eine Ampel noch ein Stoppschild wahrgenommen.«

Milford: Stadt in Connecticut beheimatet viele attraktive Mütter

Pilot startet erneut und lässt Flugzeug ins Meer stürzen, weil bei Landung nicht geklatscht wurde

Palermo (dpo) - Weil beim Flug Tokio-Palermo nicht ordnungsgemäß applaudiert wurde, hat ein italienischer Pilot seine Boeing 747 noch einmal hochgezogen und ins Meer abstürzen lassen. Seiner Ansicht nach habe er die Alitalia-Maschine hervorragend geflogen und hätte den Applaus mehr als verdient. Bei dem Manöver verletzten sich mehrere Passagiere leicht.

Der Beifall nach dem vollzogenen Landeanflug gilt international als Anerkennung für die Flugkünste des Piloten und seine Mannschaft und gehört für viele Bordbesatzungen fest zu einem gelungenen Flug. Bleibt er aus, sind die meisten Piloten zwar enttäuscht, können aber damit leben.

Fühlte sich gekränkt: Mario Retti

Nicht so Mario Retti: »Sie haben mich behandelt, als wäre ich schlecht geflogen. Also habe ich ihnen gezeigt, wie es ist, wenn man schlecht geflogen wird«, erklärt der 47-Jährige trotzig, nachdem er von Rettungskräften an Land gebracht worden war.

»Ich kann immer noch nicht verstehen, warum der Pilot so etwas tun würde«, sagt dagegen Passagierin Renata Constantini. »Als wir alle das sinkende Flugzeug verließen, hat er auch noch wie wild geklatscht, bis alle auf den Rettungsflößen waren. Irgendetwas stimmt nicht mit dem Mann.«

Bei Rettis Arbeitgeber zeigt man dagegen Verständnis für die Aktion: So habe der Pilot die Flugsicherung vor dem Absturz vorschriftsgemäß über sein ungeplantes No-Clap-Manöver informiert. Auch sein Co-Pilot und die restliche Besatzung seien mit der Strafaktion für den ausgebliebenen Applaus einverstanden gewesen.

»Das ist ganz einfach eine Frage des Respekts«, erklärte Flugbegleiterin Ramona Loretti. »Diese Passagiere haben uns nicht respektiert. Das habe ich schon gemerkt, als niemand in unserer Sky-Mall einkaufen wollte. Warum sitzen die dann im Flugzeug, wenn sie weder Parfüm noch Schmuck noch Zigaretten wollen?«

Das haben die Passagiere jetzt davon:

Immer wieder haben Piloten und Flugbegleiter mit unhöflichen Passagieren zu kämpfen. Erst kürzlich mussten Mitglieder einer litauischen Crew einen ignoranten Passagier nach der Hälfte des Fluges aus der Maschine werfen, weil er sich während schwerer Turbulenzen nicht hatte anschnallen wollen.

Rührend: Hooligans helfen Schiedsrichter, der vergessen hat, wo sein Auto steht

Mönchengladbach (dpo) - Zu einer rührenden Szene kam es am Dienstag in der Regionalliga West im Anschluss an die Begegnung Borussia Mönchengladbach II gegen den Wuppertaler SV (0:2). Denn als Schiedsrichter Ferdinand Grefke nach der Partie die Heimfahrt antreten wollte, wusste er partout nicht mehr, wo er zuvor sein Auto abgestellt hatte. Doch örtliche Hooligans halfen ihm aus der Not.

»Ich habe den ganzen Parkplatz abgesucht und auch die Seitenstraßen um das Stadion herum – Fehlanzeige«, erzählt Grefke, der aus dem etwa 100 Kilometer entfernten Bonn angereist war. »Ich habe mich schon darauf eingestellt, dass ich jetzt hier übernachten und morgen weitersuchen muss.«

Doch in diesem Moment fiel Grefke ein, dass in der Gladbacher Kurve nach einer strittigen Entscheidung für die Gastmannschaft »Schiri, wir wissen, wo dein Auto steht!« skandiert worden war: »Gesänge wie diese blende ich sonst instinktiv aus.«

Tatsächlich stand noch eine größere Gruppe vermummter Gestalten mit Baseball-Schlägern und Messern vor dem Stadion, die offenbar auf Gäste-Fans warteten. »Da bin ich dann einfach hingegangen und hab gefragt, ob die wirklich wissen, wo ich geparkt habe.«

Einer der Hooligans habe dann geantwortet: »Na klar! Dir werden wir's zeigen!« Anschließend gingen zehn Mann mit dem Unparteiischen in einen dunklen Winkel des Parkplatzes und zeigten ihm, wo sein Fahrzeug stand.

»Das hätte ich nie alleine gefunden«, so Grefke, der sich anschließend ausgiebig bei seinen Helfern für ihre Mitmenschlichkeit bedankte und dann die Heimreise antrat.

Zu wissen, wo das Auto des Schiedsrichters steht, ist eine alte Hooligan-Tradition, die mindestens bis in die 50er-Jahre zurückreicht. Üblicherweise hält sich vor jedem Spiel ein Hooligan im Parkplatzbereich des Stadions auf, um dem Unparteiischen beim Parken zuzusehen. Später stößt er zu seinen Kollegen im Stadion und gibt ihnen Bescheid. Erst dann darf laut Hool-Kodex »Schiri, wir wissen, wo dein Auto steht!« gesungen werden. Warum das so ist, lässt sich aus heutiger Sicht leider nicht mehr nachvollziehen. Schiedsrichter Grefke hat dieser Brauch jedenfalls den Abend gerettet.

»Wo hab ich es nur abgestellt?«

Berlin (dpo) - Irgendwie will in diesen Wahlkampf kein Schwung kommen: Am 24. September 2017 wählt Deutschland den neuen Bundestag, doch von einem echten Kampf der politischen Inhalte ist wenig zu spüren – und das, obwohl sich die Programme von CDU und SPD auf Seite 87 klar unterscheiden.

Seltsam: Wahlkampf öde, obwohl sich CDU- und SPD-Programm auf Seite 87 unterscheiden

»Seit dem Duell um den Posten des Bürgermeisters von Bümmerstede im Jahr 1974 habe ich keinen Wahlkampf mehr gesehen, der die Bevölkerung so kalt lässt«, erklärt Politologe Karl-Werner Lührs, dem es schwerfällt, die fehlende Euphorie zu erklären. »Wir haben hier doch zwei große Parteien, deren Programme im unteren Viertel von Seite 87 unterschiedlicher nicht sein könnten. Ich werde daraus nicht schlau.«

Ein Blick auf die besagte Stelle macht unverkennbar deutlich, wie weit die politischen Einstellungen von CDU und SPD voneinander abweichen: »Wir wollen (...) Familien beim Erwerb von Wohneigentum mehr helfen als bisher. [Daher] werden wir ein Baukindergeld (...) neu einführen«, erklärt die CDU. Die SPD dagegen kündigt an: »Den Erwerb von Wohneigentum für Familien (...) werden wir durch ein Familienbaugeld erleichtern.«

Durchschnittliche Wählerreaktion auf den Wahlkampf 2017

»Baukindergeld, Familienbaugeld ..., da liegt doch viel Potential für eine große Richtungsdiskussion in unserer Gesellschaft«, findet Lührs. Doch bislang will der Funke einfach nicht auf die Wähler überspringen.

Karl-Werner Lührs hat die Hoffnung jedoch noch nicht aufgegeben. »Wenn dieser Punkt nicht ausreicht, um Feuer in den Wahlkampf zu bringen, könnten sich immer noch die verwendeten Schriftarten zum wahlentscheidenden Thema mausern. Die CDU nutzt nämlich für ihr gesamtes Programm die Hausschriftart ›CDU Kievit Book‹, während die SPD auf die etwas zierlichere ›SPD TheSans Regular‹ setzt. Welche besser ist, muss nun jeder Bürger selbst entscheiden.«

Allerspätestens nach der Wahl rechnet der Politologe endgültig mit aufsehenerregenden Konflikten, die die Gesellschaft politisieren. Nämlich dann, wenn CDU und SPD gezwungen sein werden, trotz dieser riesigen inhaltlichen Gräben eine Koalition zu bilden.

Brille und Bart aufgemalt: Tausende Schulz-Plakate von Vandalen verunstaltet

Berlin (dpo) - Ist es stiller Protest oder einfach nur alberner Zeitvertreib? In einer Nacht-und-Nebel-Aktion haben Unbekannte zahlreiche Wahlplakate des SPD-Kanzlerkandidaten Martin Schulz verunstaltet. Die Vandalen verpassten dabei Tausenden Fotos mit dem Gesicht des SPD-Hoffnungsträgers einen Bart und eine hässliche Brille.

»Wir sind momentan noch völlig ratlos, wer da draußen so eine Wut auf die SPD haben könnte, dass er unsere schöne Plakatkampagne dermaßen verhunzt«, erklärt SPD-Generalsekretär Hubertus Heil. »Wenn sich die Schmierfinken wenigstens mit unseren Inhalten kritisch auseinandergesetzt hätten … Aber Brille und Bart: Das ist doch Pennälerhumor.«

Die Polizei ermittelt wegen Sachbeschädigung, doch bislang gibt es offenbar weder Zeugen noch Anhaltspunkte darauf, wer hinter den feigen Schmierereien stecken könnte.

Was sagen die Wähler zu den verhunzten Schulz-Plakaten? Manche sind belustigt, andere zeigen sich mit dem ehemaligen EU-Politiker solidarisch: »Man kann von dem Schulz ja halten, was man will, und muss ihn auch meinetwegen nicht wählen …«, findet die Berlinerin Ursula Käricki. »Aber ein bisschen Respekt sollte man auch Politikern schon entgegenbringen. Der arme Mann … Wie das jetzt aussieht!«

Derzeit ist unklar, ob die SPD die Plakate noch vor der Bundestagswahl im September austauschen kann. »Ich fürchte, logistisch und kostentechnisch wird das leider kaum noch möglich sein«, so Heil. Immerhin haben sich inzwischen Hunderte freiwillige SPD-Mitglieder gemeldet, die derzeit versuchen, Brille und Bart so gut wie möglich mit schwarzem Edding zu übermalen:

»Text ersetzen« Womit?

Parfüm-Verkäuferin genervt, weil sie ständig nach neuem Duft »FDP« gefragt wird

Köln (dpo) - »Das Zeug wäre der absolute Verkaufsschlager, wenn wir nur welches auf Lager hätten«, sagt Sandra Kutz und schüttelt den Kopf. Bereits zum elften Mal wurde die Parfümverkäuferin heute nach dem edlen Herrenduft »FDP« gefragt, der derzeit überall auf Plakaten beworben wird. Doch das Parfüm ist scheinbar unmöglich zu bekommen.

»Gerade vor fünf Minuten kam schon wieder einer und fragte nach dem Parfüm, nachdem er eine Weile das große Werbeplakat betrachtet hatte, das seit ein paar Tagen auf der anderen Straßenseite hängt«, berichtet Kutz. Doch wie so viele Kunden davor musste die 27-Jährige den Mann vertrösten.

Dabei weiß Kutz noch nicht einmal, wie »FDP« riecht. »Ausgehend von den Plakaten, die ja ziemlich direkt mit Freiheit und Sex-Appeal locken wollen, tippe ich auf eine starke Moschusnote und vielleicht etwas Bergamotte, um alles frisch zu halten. Wenn man sich die sinnlosen Slogans wie ›Ungeduld ist auch eine Tugend‹ oder ›Digital First. Bedenken Second.‹ anschaut, dann besteht die Zielgruppe wahrscheinlich aus so Bürohengsten, die stark rüberkommen wollen.«

Bislang scheint diese Message zu wirken – nur das Parfüm selbst ist nirgends zu bekommen. »Wir haben in den letzten Tagen alles versucht, aber vergeblich«, erklärt Sandra Kutz. »Bei uns in der Zentrale tun die so, als gäbe es das Parfüm nicht. Aber das wäre ja Schwachsinn, für etwas, das absolut niemandem etwas bringt, so eine fette Werbekampagne zu fahren.«

Diese Parfüm-Werbe-Plakate mit einem abgehalfterten Männermodel in Schwarz-Weiß-Optik hängen in zahlreichen deutschen Innenstädten. Doch in keiner Parfümerie ist »FDP« erhältlich.

Nach YouTube-Interview: Mehrheit der 8- bis 17-Jährigen will jetzt Merkel wählen

Berlin (dpo) - Angela Merkels Plan, mit einem YouTube-Interview junge Menschen anzusprechen, war offenbar ein voller Erfolg: Eine Blitzumfrage des Meinungsforschungsinstituts Opinion Control ergab, dass nun eine große Mehrheit der 8- bis 17-Jährigen bei der Bundestagswahl am 24. September 2017 für die Bundeskanzlerin stimmen will.

»Angela, meine Stimme hast du sicher!«, schreibt etwa Lena (11) aus Würzburg in den Kommentaren zum Video. »Bitte mach als Nächstes ein Frisurentutorial, bitte bitte!«

Ähnlich äußerte sich Jan-Hendrik, 14, aus Kaiserslautern. »Ich hab zwar eigentlich nach einem Let's-Play-Video für ›Call of Duty: Infinite Warfare‹ gesucht, aber dann bin ich bei dieser komischen Cancellerin Merk-L hängen geblieben. Ich find die gut, weil die einen Hip-Hop-Namen hat und deshalb werd ich die wählen und jetzt gleich gibt's schonmal nen Daumen hoch + ein Kanalabo.«

Andere Kommentare lauteten »Voll geil zum Einschlafen! Ich schau mir das jetzt jeden Abend an!« (newFan9), »Mekrel is 1fach 1 Profi vong Labern her« (demBoi) oder »Fake!« (MrCrusher98).

»Was ist Ihr Lieblings-Emoji?«
»Wirtschaftspolitik.«

Tatsächlich konnte Merkel der Umfrage zufolge rund 58 Prozent der jungen YouTube-Zuschauer von sich überzeugen. Doch es gibt auch Kritiker. Der 8-jährige Liam aus Münster etwa zeigte sich enttäuscht von Merkel. Er habe sich mehr Zaubertricks und gesungene Lieder von der Kanzlerin gewünscht. Für ihn steht fest: »Ich werde am 24. September die Lochis wählen!«

»Mist! Geblinzelt«: TV-Duell-Zuschauerin hat Themenkomplex »Soziale Gerechtigkeit« verpasst

Würzburg (dpo) - Da passt man mal eine Sekunde lang nicht auf und dann sowas: Weil sie während der TV-Debatte zwischen Angela Merkel und Martin Schulz kurz blinzelte, hat Laura Handtke aus Würzburg das gesamte Segment zum Thema soziale Gerechtigkeit verpasst – dabei hatte sie diesem Teil der Debatte schon die ganze Woche entgegengefiebert.

»Mir persönlich liegt soziale Gerechtigkeit sehr am Herzen. Deshalb war ich schon sehr gespannt, wie die beiden Kandidaten das Thema kontrovers debattieren«, erklärt die 29-Jährige. »Aber die ersten 50 Minuten ging es leider nur um Fragen zu Flüchtlingen, Asyl, Integration und Erdogan, die fast ausschließlich von diesem AfD-Politiker Claus Strunz gestellt wurden. Nicht uninteressant, aber eben nicht das, was mir am wichtigsten ist.«

Weil die Zeit immer knapper wurde, ahnte Handtke schon, dass nicht mehr allzu viel Zeit bleiben würde. »Ich konzentrierte mich, damit ich den Teil auf keinen Fall verpassen würde.«

Doch dann nahm das Unglück seinen Lauf: »Meine Augen fühlten sich plötzlich trocken an, als Trump und Nordkorea gerade thematisch durch waren. Ich musste blinzeln.« Unglücklicherweise biss Handtke genau in diesem Moment auch noch in einen Kartoffelchip, weswegen sie akustisch ebenfalls für den Bruchteil einer Sekunde außer Gefecht war.

»Als ich meine Augen wieder öffnete und der Kartoffelchip zerbissen war, war der Themenkomplex ›Soziale Gerechtigkeit‹ bereits wieder vorbei und es ging ausführlich um die Autobahnmaut. Schade!«

Immerhin: Einen Tag später konnte Handtke den Teil des TV-Duells, in dem es um soziale Gerechtigkeit, Renten, Löhne, Arbeitnehmerrechte, Steuern und Sozialversicherungen ging, noch nachholen. Ein freundlicher Internetnutzer hatte daraus ein kurzes GIF gemacht und es online gestellt.

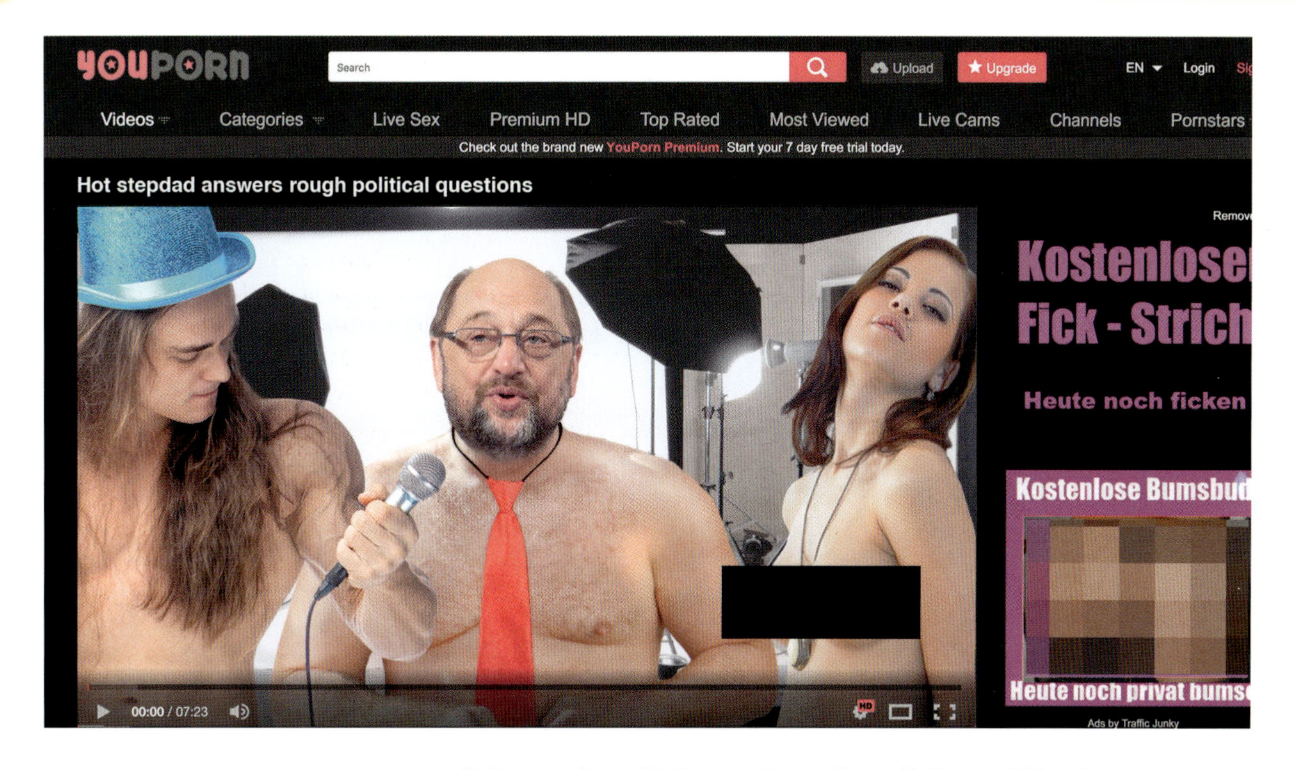

Nach Merkels YouTube-Auftritt: Schulz lässt sich auf YouPorn interviewen

Berlin (dpo) - Der Bundestagswahlkampf geht allmählich in die heiße Phase. Nachdem sich Bundeskanzlerin Angela Merkel auf YouTube interviewen ließ, hat nun auch ihr Herausforderer die Zusage einer bekannten Video-Plattform erhalten. Martin Schulz (SPD) wird sich am Samstag provokanten Fragen vier bekannter YouPorner rund um Politik und Gesellschaft stellen.

»Wir sind stolz darauf, dass es uns gelungen ist, dieses Interview einzufädeln«, erklärt SPD-Generalsekretär Hubertus Heil. »Damit zeigen wir, dass unser Spitzenkandidat mindestens so digitalaffin ist wie Merkel. Außerdem können wir auf YouPorn Wählerschichten ansprechen, die wir mit einem Plakat oder mit klassischen Medien nicht mehr erreichen, weil sie davon nicht angetörnt werden.«

Immerhin wird die Plattform YouPorn Statistiken zufolge von 89 Prozent aller männlichen Deutschen zwischen 14 und 79 regelmäßig besucht. Hinzu kommen etwa 3 Prozent der Frauen, die die URL in der Browser-Historie ihres Partners gefunden haben.

Das Interview, auf das sich Schulz derzeit akribisch vorbereitet, soll nackt stattfinden und wird sich insbesondere um die Themenbereiche Sozialpolitik, Wirtschaft, die Zukunft der EU sowie Analfisting drehen.

Das Gespräch wird in der Nacht von Freitag auf Samstag um 2:45 Uhr live übertragen und rund sieben Minuten dauern. »Länger werden unsere Videos in der Regel nicht angeschaut«, so ein Sprecher von YouPorn.

Wer das Interview verpasst hat, kann es ein Jahr lang in der Kategorie »Hairy« abrufen.

Fünf-Prozent-Hürde geschafft: Sonstige ziehen in Bundestag ein

Berlin (dpo) - Sie gehören neben FDP und AfD zu den großen Gewinnern des Abends: Die unter »Sonstige« zusammengefassten Parteien sind mit einem Stimmenanteil von 5,0 Prozent erstmals seit 1949 wieder in den Bundestag eingezogen. Angeführt wird das Bündnis aus 35 Kleinparteien von Martin Sonneborn (Die Partei) und Hubert Aiwanger (Freie Wähler).

»Offenbar haben die Wähler es belohnt, dass wir ihnen nach vier weiteren Jahren der großen Koalition eine - entschuldigen Sie, ich meine fünfunddreißig klare Alternativen zur Regierungspolitik angeboten haben«, erklärte einer der vielen Sprecher der Fraktion.

Traditionell hatten es die Sonstigen, die ein breites politisches Spektrum von ganz links bis ganz rechts sowie verschiedene esoterische Strömungen abdecken, nie einfach: Immer wieder verließen kleinere Parteien wie die Piraten oder die NPD das Bündnis, sobald sie mehr als 1 Prozent der Wählerstimmen erhielten. Dass die Grauen es nun seit mehr als 60 Jahren wieder ins Parlament schaffen, kommt einer Sensation gleich.

Die Sonstigen werden gemäß ihrem Stimmanteil voraussichtlich 34 Sitze im Bundestag erhalten und müssen sich nun untereinander einigen, wie diese auf die Freien Wähler, Die Partei, Piratenpartei, NPD, Tierschutzpartei, ÖDP, Bayernpartei, Volksabstimmung, Partei der Vernunft, MLPD, BüSo, Sozialistische Gleichheitspartei, Die Rechte, Allianz Deutscher Demokraten, Tierschutzallianz, bergpartei, Bündnis Grundeinkommen, Demokratie in Bewegung, DKP, Deutsche Mitte, Die Grauen, Die HipHop Partei, die Magdeburger Gartenpartei, Menschliche Welt, Partei der Humanisten, Partei für Gesundheitsforschung, V-Partei3, Bündnis C, Die Einheit, Die Violetten, Familien-Partei, Feministische Partei Die Frauen, Mieterpartei, Neue Liberale und Unabhängige für bürgernahe Demokratie verteilt werden sollen.

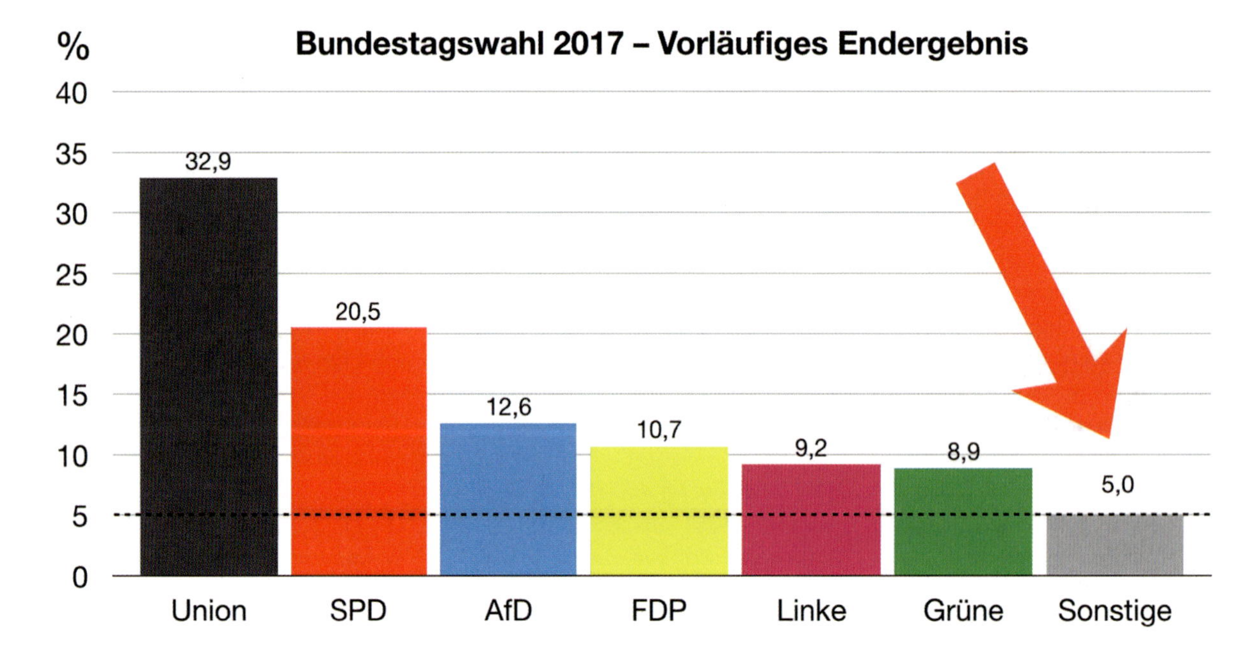

Jamaika ändert Landesflagge, um nicht mit Koalition in Verbindung gebracht zu werden

Kingston (dpo) - Jamaika will sein Image retten: Die Regierung des Karibikstaates hat heute beschlossen, die Farben der seit 1962 bestehenden Landesflagge von Schwarz-Gelb-Grün in Weiß-Blau-Magenta zu ändern. Damit soll sichergestellt werden, dass Jamaika künftig nicht mehr mit der möglichen künftigen Regierungskoalition Deutschlands assoziiert wird.

Kämpft für den Ruf seines Landes: Jamaikas Premierminister Andrew Holness (links im Bild: alte Landesflagge)

Jamaikas Premierminister Andrew Holness rechtfertigte den Schritt: »Wir sind es leid, dass unser schönes Land mit einer derart schrecklichen Parteienzusammensetzung in Verbindung gebracht wird. Wir wollen nicht, dass die Menschen Leute wie Katrin Göring-Eckardt, Christian Lindner, Horst Seehofer und Angela Merkel vor ihrem inneren Auge sehen, wenn sie an Jamaika denken.«

Entsprechend wurde bei der Gestaltung der neuen Landesflagge strikt darauf geachtet, künftig farblich so weit wie möglich von Schwarz-Gelb-Grün entfernt zu sein: Bei den neuen Landesfarben Weiß, Blau und Magenta handelt es sich um die Komplementärfarben, also die farbliche Umkehrung der bisherigen Flagge.

Zuvor hatten alle Jamaikaner die Bundestagswahl in großer Sorge verfolgt: »Ich habe so darauf gehofft, dass die Große Koalition fortgesetzt wird«, erzählt etwa Portia Simpson-Levington aus Kingston. »Oder Rot-Rot-Grün oder Ampel oder was auch immer. Alles, nur nicht Union, FDP und Grüne!«

Premier Holness ist überzeugt: »Durch die Änderung unserer Flagge werden die Deutschen gezwungen sein, sich ein anderes Opfer für ihre Koalitionsspiele zu suchen.«

Dies dürfte sich allerdings nicht eben einfach gestalten, da die Farbkombination Schwarz-Gelb-Grün nur selten vorkommt. Höchstwahrscheinlich wird die Regierungskoalition daher in Anlehnung an das Landeswappen künftig als Sachsen-Koalition bezeichnet werden:

RATGEBER

Alles, was Sie jetzt über die Jamaika-Sondierungsgespräche wissen müssen

Union, FDP und Grüne beginnen heute, rund dreieinhalb Wochen nach der Wahl, mit ihren Sondierungsgesprächen zur Bildung der nächsten Regierung. Da wir wissen, dass es um die Bildung unserer Leser oftmals eher schlecht bestellt ist, beantworten wir hier die wichtigsten Fragen zu den Verhandlungen:

Was sind Sondierungsgespräche?

Sondierungsgespräche dienen dazu, dass Parteien Gemeinsamkeiten ausloten, um anschließend ein Zweckbündnis zur Bekämpfung ihres gemeinsamen Feindes zu bilden: der Bürger.

Sondierungsgespräche sind in etwa vergleichbar mit Hunden, die vor der Kopulation (=Koalition) gegenseitig ihre Hinterteile beschnuppern.

Wer verhandelt?

Alle Parteien schicken ihre unerträglichsten Politiker in die Sondierungsgespräche. Das Kalkül dahinter: Nur wenn die schlimmsten Idioten jeder Partei es miteinander aushalten, ist eine Koalition zukunftsfähig. In der Union fiel das Los daher etwa auf Angela Merkel, Horst Seehofer und Volker Kauder. Die furchtbarsten Politiker der Grünen umfassen unter anderem Cem Özdemir, Katrin Göring-Eckhardt, Claudia Roth, Winfried Kretschmann und Anton Hofreiter. Die FDP schickt Christian Lindner, weil er nicht nur das unerträglichste, sondern auch das einzige Parteimitglied ist.

Wo finden die Sondierungsgespräche statt?

Zum Auftakt der Verhandlungen traf man sich in der Küche von Angela Merkels Wohnung in Berlin-Mitte. Da die Grünen allerdings aus Platzmangel im Flur stehen mussten und die einzige Knabberbox schon nach zwanzig Minuten leer war, sollen die Gespräche künftig an einem anderen Ort stattfinden, über den erst noch in Sondierungsgesprächsortsfindungsgesprächen verhandelt werden muss.

Ist von Schwarz-Gelb-Grün eher eine gulaschfreundliche oder eine gulaschfeindliche Politik zu erwarten?

Insgesamt eher gulaschfreundlich. Zwar gelten die Grünen grundsätzlich als Gulaschgegner. Doch auch in ihren Reihen können sich zahlreiche Politiker nicht der Köstlichkeit des ungarischen Fleischgerichts entziehen, weshalb die Partei hier mindestens gespalten (Fundis/Realos) ist. CDU und CSU wiederum gelten grundsätzlich als Gulaschfürsprecher. Die FDP, der schon seit Jahren starke Verbindungen zur Gulaschlobby nachgesagt werden, fordert gar eine Mehrwertsteuersenkung für Gulasch auf 7 Prozent.

Wie werden die Ministerposten verteilt?

Erstmals seit 12 Jahren werden die Ministerposten wieder gemäß alter Tradition per »Reise nach Jerusalem« vergeben – wer am Ende den letzten Stuhl ergattert, hat den Posten. Seit 2005 hatte man das Verfahren aus Rücksicht auf den scheidenden Finanzminister Wolfgang Schäuble vorübergehend ausgesetzt. Dem sportlichen Christian Lindner (FDP) und dem gewieften Cem Özdemir (Grüne) werden aktuell die besten Chancen auf den Posten des Außenministers eingeräumt.

Ist Jamaika schon sicher?

Nein. Jamaika wird als Karibikinsel immer wieder von schrecklichen Orkanen heimgesucht, die schwere Verwüstungen anrichten.

Und nach einer gelungenen Sondierung haben wir eine neue Regierung?

Wo denken Sie hin! Nach der Sondierung kommen die Postsondierungsgespräche, dann die Koalitionsverhandlungen, dann die Erstellung des Koalitionsvertrags, dann ein gemeinsamer Zoobesuch mit Besichtigung des Koala-Geheges, dann die Erstellung des Regierungsprogrammes und erst dann endlich die Bundestagswahl 2021.

Was passiert, wenn die Verhandlungen scheitern?

Sollten die Sondierungsgespräche zu keinem Ergebnis führen, muss Angela Merkel nach weiteren möglichen Koalitionspartnern Ausschau halten – angesichts der als sicher geltenden Weigerung von SPD, AfD und Linken ein hoffnungsloses Unterfangen. Gemäß Protokoll muss die Kanzlerin dann solange barfuß im Garten von Schloss Bellevue verharren, bis Bundespräsident Frank-Walter Steinmeier mit einem toten Adler im Arm auf den Balkon tritt und dreimal den rechten Daumen hebt. Anschließend werden vom Bundesvogt Neuwahlen ausgerufen.

Und wer regiert eigentlich solange Deutschland?

Ach du liebe Scheiße! Daran hat ja überhaupt niemand gedacht! Hoffentlich … neiiiin! Wir steuern direkt auf einen Eisberg zu!

Neue Partei »Ja, ich nehme am Gewinnspiel teil« schafft es im letzten Moment auf die Stimmzettel

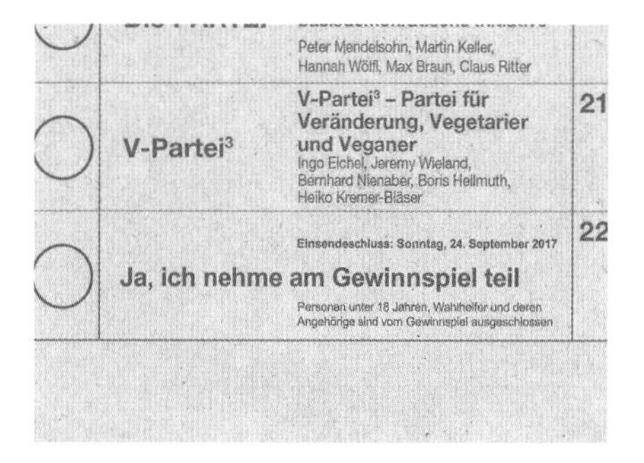

Berlin (dpo) - Was für eine Überraschung! Im letzten Moment wurde die bis dato noch unbekannte Partei »Ja, ich nehme am Gewinnspiel teil« vom Bundeswahlleiter zugelassen.

Zu den Wahlversprechen der Partei gehören »mit ein bisschen Glück« attraktive Sachpreise, Gutscheine sowie eine Reise für zwei Personen nach Paris.

Weitere Informationen über die genauen Forderungen der neuen Bewegung oder ein konkretes Wahlprogramm waren in der Kürze der Zeit nicht verfügbar.

Allerdings räumen Politikexperten der »Ja, ich nehme am Gewinnspiel teil«-Partei ohnehin keinerlei Chancen ein. Immerhin lande sie aufgrund der späten Zulassung ganz unten auf den Stimmzetteln.

Erster Sondierungserfolg: Union, FDP und Grüne einigen sich auf kohlebetriebene Windräder

Berlin (dpo) - Die Jamaika-Koalition rückt einen Schritt näher: Nach ersten Verhandlungen haben sich Union, FDP und Grüne auf kohlebetriebene Windräder als erstrebenswerte Primärenergiequelle in Deutschland geeinigt. Mit dem Kompromiss bleiben die energie- und umweltpolitischen Ziele aller Koalitionspartner gewahrt.

Tatsächlich vereinen die neuen Windräder die besten Eigenschaften beider Technologien: Über einen kohlebetriebenen Heizkessel mit Dampfturbine im Fuß der Konstruktion wird Kohlestrom erzeugt, der das Windrad antreibt. Dieses ist wiederum mit einem Generator verbunden, der sauberen Strom gewinnt. »Auf diese Weise liefern wir grüne Windenergie und sichern gleichzeitig die wichtigen Arbeitsplätze der Kohleindustrie, da jedes Windrad einzeln mit Kohle beliefert werden muss«, schwärmt Peter Altmaier von der CDU.

Die Grünen-Fraktionsvorsitzende Katrin Göring-Eckardt freut sich vor allem über die Leistungsfähigkeit der neuen Windräder: »Selbst bei absoluter Windstille können die Räder ununterbrochen betrieben werden und sauberen Strom erzeugen«, erklärt sie.

Auch für die Betreiber ist das Konzept ein Glücksfall: Da mit Kohle- und Windkraft zwei staatlich subventionierte Technologien vereint werden, dürfen sie auf doppelte finanzielle Unterstützung hoffen.

Trotz dieses ersten Teilerfolgs ist der Ausgang der Sondierungsgespräche weiterhin völlig offen, da es auf vielen Themengebieten immer noch große Differenzen gibt. Die größten Streitpunkte im Überblick:

- ***Innere Sicherheit:*** Während die Union deutlich mehr Videokameras im öffentlichen Raum fordert, lehnen Liberale und Grüne das strikt ab. Ein Kompromissvorschlag der CDU, an öffentlichen Plätzen stattdessen professionelle Gerichtszeichner zu platzieren, die Passanten lediglich mit Bleistift skizzieren, hat bislang keine Mehrheit gefunden.

- *Einwanderungspolitik:* Die Union fordert, die aktuelle Aussetzung des Familiennachzugs für Flüchtlinge mit eingeschränktem Schutzstatus beizubehalten, die Grünen wollen den Familiennachzug dagegen ab dem kommenden Jahr ermöglichen. Auch bei diesem Thema ist ein Kompromiss schwierig. Immerhin wird derzeit der Vorschlag diskutiert, den Familiennachzug nur inklusive Schwiegermüttern zu erlauben, wovon sich die Union einen abschreckenden Effekt erhofft.

- *Glyphosat:* Das Unkrautvernichtungsmittel wird von Union und FDP als unbedenklich eingeschätzt, die Grünen fordern dagegen ein striktes Verbot. Hier dürfte sich ein Kompromiss schwierig gestalten, auch wenn es bereits Vorschläge gibt (unter anderem: nur Konsum kriminalisieren, Verbot von Glyphosat bei gleichzeitiger Umbenennung von Glyphosat in Apfelsaft).

- *Verkehrspolitik:* Die Grünen fordern ein Verbot für Neuzulassungen von Fahrzeugen mit Verbrennungsmotor ab 2030, um die Klimaziele einzuhalten. Union und FDP wollen dagegen die Autoindustrie schützen. Ein Kompromiss könnte sein, deutschen Automobilherstellern wie VW oder Audi künftig den Vertrieb von Fahrzeugen mit einem »lauten Elektromotor« zu genehmigen, der dank »intelligenter« »Software« völlig »schadstofffrei« ist.

- *Legalisierung von Cannabis:* Während die Union die Legali- ach, vergessen Sie's, das wird eh nie was.

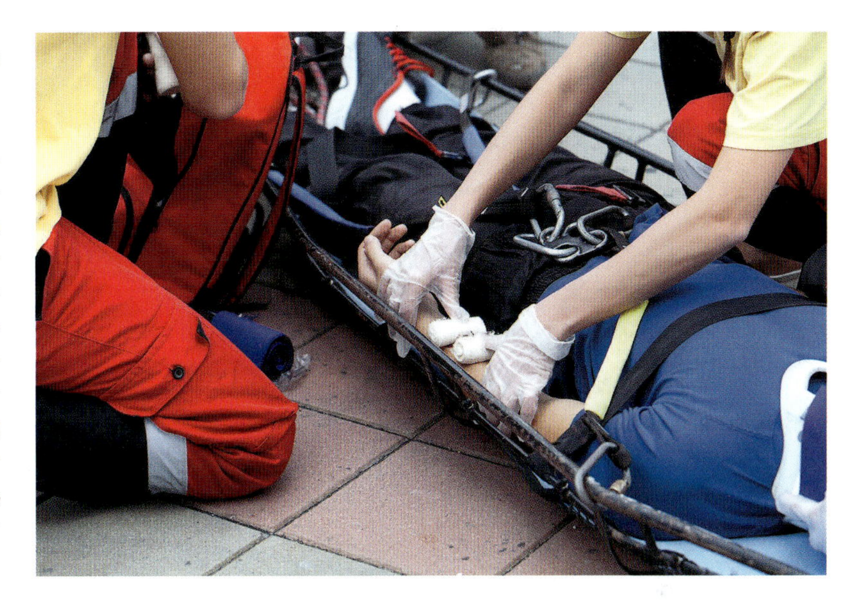

TV-Duell: Sanitäter transportieren zu Tode gelangweilten Kameramann ab

Berlin (dpo) - Das große TV-Duell zur Bundestagswahl zwischen Angela Merkel (CDU) und Martin Schulz (SPD) fordert ein erstes Opfer: Soeben transportierten Sanitäter einen zu Tode gelangweilten Kameramann ab.

»Und ich habe ihn noch gewarnt«, schluchzt eine Kabelträgerin. »Ich habe gesagt: ›setz deine Kopfhörer auf und wenn nicht, hör niemals direkt hin!‹« Doch offenbar schlug der 37-jährige Kameramann die gut gemeinten Warnungen in den Wind.

»Schon wenige Minuten nach Beginn des TV-Duells begann er, herzhaft zu gähnen«, schildert ein Tonassistent, der die schreckliche Szene beobachtete. »Je länger die Debatte dauerte, desto intensiver wurde das Gähnen, bis er schließlich zusammenbrach.«

Die herbeigerufenen Sanitäter konnten nur noch den Tod feststellen. Da das TV-Duell auf vier Fernsehkanälen ausgestrahlt wird, befürchten die Rettungskräfte, dass sie im Laufe des Abends deutschlandweit noch Tausende weitere Opfer bergen müssen.

Ärzte empfehlen, das TV-Duell sicherheitshalber ausschließlich mit Ohrenstöpseln, Augenbinde und ausgeschaltetem Fernseher zu genießen.

EXKLUSIV! Das geheime WhatsApp-Chat-Protokoll der Jamaika-Sondierungsgespräche

Noch stocken die Sondierungsgespräche zwischen CDU, CSU, FDP und Grünen – und das obwohl inzwischen dank modernster Technik auch abseits des Verhandlungstisches per Smartphone weiterverhandelt werden kann. Dem Postillon wurden nun von einer anonymen Quelle die geheimen Chat-Protokolle aus der Jamaika!-WhatsApp-Gruppe der Parteispitzen zugespielt. Wir dokumentieren und kommentieren im Folgenden Leaks (#JamaikaLeaks) aus den Sondierungsgesprächen, die tief blicken lassen:

Einrichtung der Gruppe:

Manches Mitglied der Gruppe scheint mit dem Format WhatsApp anfangs noch nicht wirklich vertraut zu sein:

Horst Seehofer
Test 6:12
Test 6:31
Test 6:59

Angela Merkel
Ja, Horst... Es funktioniert. Wir können alle sehen, was du schreibst. 6:59

Horst Seehofer
Test 7:08

In diesem aufschlussreichen Abschnitt des Sondierungschats geht es um die Verteilung der Ministerposten:

Angela Merkel
Also, die Ministerien müssen ja auch noch verteilt werden. Hat da jemand einen guten Modus parat? Machen wir das nach Proporz? Oder Parteispezialgebiet?
Oder nach Lebenslauf, also wer schon mal auf dem jeweiligen Feld gearbeitet hat? 11:48

Jürgen Trittin
Finanzminister! 11:48

Christian Lindner
Finanzminister! ☝ 11:48
Scheiße! 11:48

Alexander Dobrindt
Wirtschaft! 11:48

Christian Lindner
Wirtschaft! 11:48
😡😤 11:49

Katrin Göring-Eckardt
Umwelt! 11:49

Peter Altmaier
Außenminister! 11:49

Christian Lindner
Außen! 11:49
ARGH! 11:49
Kanzler! 11:49
Ha! 💪😎 11:49

Angela Merkel
Das kannst du sowas von vergessen. Christian hat sich gerade freiwillig als Agrarminister gemeldet. 11:50

Christian Lindner
😣 11:50

Cem Özdemir
Sorry, Leute, hab jetzt erst wieder auf mein Handy geschaut. Hab noch meine "Blumen" im Schrank gegossen. 😉✌
Hab ich irgendwas verpasst? 13:08

Thema Familiennachzug von Flüchtlingen:

Angela Merkel
Wie sieht's beim Thema Familiennachzug aus? An mir soll's nicht scheitern. Ich meine: Wir schaffen das. 19:41

Auch zum Organisieren von Treffen abseits des Verhandlungstisches wird der Gruppen-Chat genutzt:

Selbst Pflegetipps werden ausgetauscht:

Hier suchen die künftigen Jamaika-Koalitionäre Lösungen für die steigende Obdachlosigkeit:

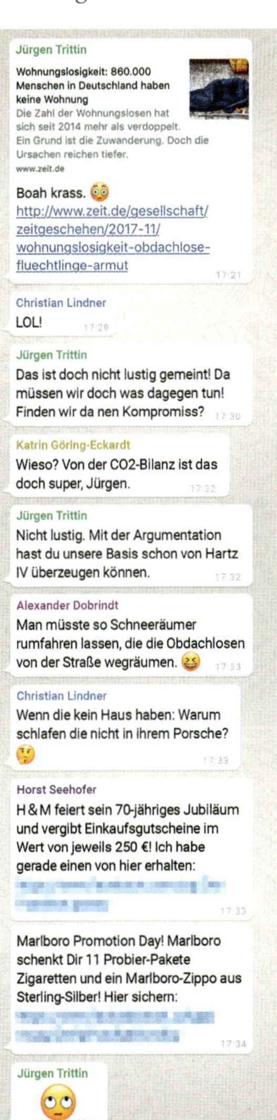

Schnelle Einigung beim Thema Rüstungsexporte:

Angela Merkel
Thema Rüstungsexporte: Finden wir wenigstens da eine einfache Einigung?
18:06
Christian Lindner
Exportieren was geht!
18:06
Alexander Dobrindt
Jawoll!
18:06
Horst Seehofer
Jawoll!
18:07
Angela Merkel
Grüne?
18:07
Katrin Göring-Eckardt
Nur in sichere Länder!
18:08
Cem Özdemir
Genau!
18:08
Jürgen Trittin
Eben!
18:08
Angela Merkel
Au, das wird knifflig.
18:09
Peter Altmaier
Wie wär's, wenn wir einfach alles in ein sicheres Land exportieren und die das dann weiterverkaufen? Da gäb's sicher einige Länder, die für ein paar Prozent dabei wären.
18:11
Christian Lindner
... geil!
18:11
Alexander Dobrindt
Klasse!
18:11
Katrin Göring-Eckardt
Ja, also das ginge.
18:12
Jürgen Trittin
Dass da vorher noch keiner draufgekommen ist.
18:12
Angela Merkel
Ok. Ich mach nen Haken dran. ✓
18:12

So kamen die bereits berühmt gewordenen Balkon-Fotos zustande:

Ebenfalls zugespielt wurde dem Postillon dieser aussagekräftige Screenshot, der nicht aus dem Gruppenchat stammt, sondern eine Unterhaltung zwischen Angela Merkel und Ex-SPD-Chef Sigmar Gabriel zeigt:

Typ, der einst illegal 100.000 DM annahm, überwacht künftig ordnungsgemäße Parteispendenpraxis

Berlin (dpo) - Ein Typ (75), der zu Zeiten der Kohl-Regierung eine illegale Barspende in Höhe von 100.000 DM von einem umstrittenen Waffenhändler annahm, ist am Montag von einer großen Mehrheit der Abgeordneten zum Bundestagspräsidenten gewählt worden und hat somit künftig die Aufgabe, die ordnungsgemäße Durchführung von Parteispenden zu überwachen.

Es bleibt abzuwarten, ob sich der erfahrene Politiker, der das Geld damals in eine schwarze Parteikasse wandern ließ, für mehr Transparenz bei der Parteienfinanzierung stark macht. Und ob er wie sein Vorgänger im Amt des Bundestagspräsidenten bei Unregelmäßigkeiten etwa bei der Regierungspartei, der er auch selbst angehört, genau hinsieht.

Experten für Parteienfinanzierung sehen keinen allzu großen Grund zur Sorge: »Das ist natürlich alles andere als optimal«, erklärt etwa Politikwissenschaftlerin Marina Deiske von der Freien Universität Berlin. »Aber noch viel bedenklicher wäre es, wenn so ein Typ Finanzminister wäre.«

Mehrheit der Deutschen völlig baff, dass FDP angeblich Prinzipien hat

Berlin (dpo) - »Wir wären gezwungen, unsere Grundsätze aufzugeben« – mit diesen Worten begründete Christian Lindner den Abbruch der Jamaika-Sondierungsgespräche zwischen CDU, CSU, FDP und Grünen. Einer aktuellen Umfrage des Meinungsforschungsinstituts Opinion Control zufolge zeigt sich die überwältigende Mehrheit (97,6 Prozent) der Deutschen überrascht, dass die FDP angeblich Prinzipien hat.

»Moment mal, reden wir hier von der Partei, die 2009 nach einer Millionenspende aus dem Hotelgewerbe erstmal die Mehrwertsteuer für Hotelübernachtungen kräftig gesenkt hat?«, fragt Karina R. (41) aus Bremen ungläubig. »Und ist das dieselbe Partei, die in der Geschichte der Bundesrepublik für ein paar nette Pöstchen immer bereit war, mit jedem zu koalieren, der gerade die nötigen Prozente hat? Wow!«

Manche fragen sich, wie diese angeblichen »Grundsätze« der FDP denn aussehen. »Welche Prinzipien sind das denn im Speziellen? Waren die anderen beiden Parteien nicht lobbyistenfreundlich genug? Hat irgendjemand aus Grünen, CDU oder CSU etwa mit dem Gedanken gespielt, keine Politik für die Großkonzerne zu machen? Also nicht, dass ich das denen zutrauen würde, aber um die FDP in einen moralischen Konflikt zu bringen – also da gehört schon einiges dazu«, findet Gregor L. (58) aus Memmingen.

Wieder andere brachen sofort in lautes Gelächter aus: »Der Lindner! Grundsätze! Köstlich! Was für ein Comedy-Talent! Und da sag noch einer, Politiker hätten keinen Humor«, so Tim F. (21) aus Hamburg. »Dass der das rüberbringt, ohne auch nur eine Miene zu verziehen. Respekt!«

Unter FDP-Anhängern herrscht hingegen Ratlosigkeit. Viele haben inzwischen die Parteizentrale angeschrieben und fordern Aufklärung darüber, »wie diese Prinzipien denn bitteschön lauten, seit wann wir sie haben und ob sich dagegen etwas unternehmen lässt«. Zahlreiche Mitglieder seien zudem aus der Partei ausgetreten – aus Angst, sich ebenfalls damit zu infizieren.

»Ich will mich auf meine Modelkarriere konzentrieren«: Darum ließ Christian Lindner Jamaika sausen

Berlin (dpo) - Mit seiner Absage an die Jamaika-Koalition hat Christian Lindner die Union in Schwierigkeiten gebracht. Nun verriet der FDP-Chef exklusiv, was ihn zu dem drastischen Schritt bewegte. »Ich will mich ganz auf meine Modelkarriere konzentrieren«, so Lindner im Gespräch mit dem Postillon.

»Angefangen hat es mit der Plakatkampagne im Sommer«, berichtet Lindner. »Da habe ich gemerkt, dass ich wirklich das Zeug zum Modeln habe.« Dennoch habe er sich zunächst auf die Jamaika-Sondierungen eingelassen. »Ich war mir noch nicht sicher, ob ich wirklich das Zeug habe, um professionell zu modeln«, erklärt er und fährt sich mit der Hand durch das frisch transplantierte Haar über seiner Stirn.

Doch dann fielen ihm während der Sondierungsgespräche die Pressebilder vom Balkon der Parlamentarischen Gesellschaft auf. »Da sah ich im Vergleich zu den anderen einfach so hot aus, dass ich mir gesagt habe: So Christian, jetzt ziehst du das durch. Modeln First, Bedenken Second.«

FDP-Vorsitzender möchte Lindner auch weiterhin bleiben. Doch anstatt eines neuen Ressorts im Kabinett Merkel IV will er nun nebenher die Laufstege der Welt erobern. »Mailand, Paris, London. Das hätte ich mit einem Nebenjob als Minister nicht vereinbaren können.«

Lindners Smartphone surrt, er wirft einen Blick darauf:

»Das war Calvin Klein. Die ruf ich später zurück«, so der FDP-Chef. »Die können warten.« Lindner liegen zahlreiche Angebot großer Modelabels vor. Angebote, deren Konditionen weit über das Einkommen eines Bundesministers hinausgehen.

»Opposition lässt sich einfach besser mit Modeln vereinbaren als Regierungsarbeit«, so Lindner. »Außerdem braucht mich meine Partei jetzt vor möglichen Neuwahlen dringender als je zuvor«, fährt Lindner fort. »Für eine neue, noch sexiere, noch schwarz-weißere Plakatkampagne mit mir als zentraler Figur! Ich sag nur 20 Prozent minimum.«

91 Prozent der SPD-GroKo-Befürworter geben »Angst vor Andrea Nahles« als Entscheidungsgrund an

Bonn (dpo) - Die SPD hat sich mehrheitlich für die Große Koalition ausgesprochen. Doch was waren die Beweggründe der Delegierten? Eine direkt im Anschluss an die Abstimmung durchgeführte Umfrage ergab, dass 91 Prozent der GroKo-Befürworter aus Angst vor Andrea Nahles für eine Regierungsbeteiligung der SPD gestimmt haben.

»Ich wollte definitiv gegen eine Fortführung der Großen Koalition stimmen«, erklärt etwa ein Delegierter aus dem Ruhrgebiet, der aus Angst vor Andrea Nahles anonym bleiben will. »Aber dann kam diese Furie aufs Podest und schrie mich sieben Minuten lang an. Keine Ahnung, was sie da brüllte, aber mir war klar, wenn ich jetzt nicht tu, was sie will, dann war's das.«

Er stimmte anschließend für eine Fortführung der Großen Koalition. »Ja, das war feige. Aber ich habe Frau und Kinder. Die brauchen mich.«

Eine weitere Delegierte, die in der Nähe von Nahles saß, gab ebenfalls Angst als Hauptgrund für ihre Entscheidung an. »Nach ihrer Rede lief sie schnaufend direkt an mir vorbei. Ich glaube, ihre Faust war geballt. Als sie dann nach dem Hinsetzen plötzlich einen Baseballschläger vor sich auf den Tisch legte und herausfordernd in die Runde blickte, haben ich und meine Kollegen gar nicht mehr lang überlegt.«

Freilich scheint die Furcht vor Andrea Nahles zu überzogen. Immerhin ist sie eine renommierte Sozialpolitikerin. Stutzig machen sollte aber dennoch, dass diejenigen Delegierten, die die Große Koalition ablehnten, seitdem vom Pech verfolgt zu sein scheinen. So wurden seit der gestrigen Entscheidung vier SPD-Funktionäre von einer maskierten Frau krankenhausreif geschlagen, ein bekennender SPD-Linker stürzte unter mysteriösen Umständen aus dem 4. Stock des Willy-Brandt-Hauses und Juso-Chef Kevin Kühnert wurde von einer Regierungslimousine überfahren.

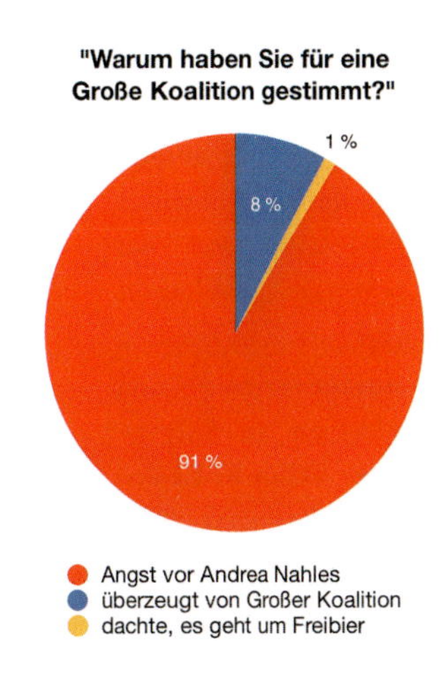

EXKLUSIV! Das geheime WhatsApp-Chat-Protokoll der GroKo-Sondierungsgespräche

Die Sondierungsgespräche zwischen Union und SPD endeten mit einem Kompromiss, der nun insbesondere bei den Sozialdemokraten heftig diskutiert wird. Wie schon bei den Jamaika-Sondierungen (wir berichteten) wurden dem Postillon von einer anonymen Quelle die geheimen Chat-Protokolle aus der GroKo-WhatsApp-Gruppe der Parteispitzen zugespielt. Wir dokumentieren und kommentieren im Folgenden Leaks (#GroKoLeaks) aus den Sondierungsgesprächen, die tief blicken lassen:

Die Gruppenerstellung:

Martin Schulz
Vertraute Runde. Schön wieder hier zu sein. Horst, nachher wieder unser obligatorisches Montags-Feierabend-Weißbier? 10:02

Horst Seehofer
Na klar! 10:02

Schnell beginnt das harte Ringen um politische Positionen:

Angela Merkel
Also... Soziales. Finden wir da Kompromisse? 13:02

Andrea Nahles
Klar! Ihr macht alles, was wir fordern, ihr Penner! 13:02

Peter Altmaier
Äh, wiebitte?! 13:02

Andrea Nahles
Hab ich mich unklar ausgedrückt, Fettsack? Brauchst du paar auf die Fresse? 13:03

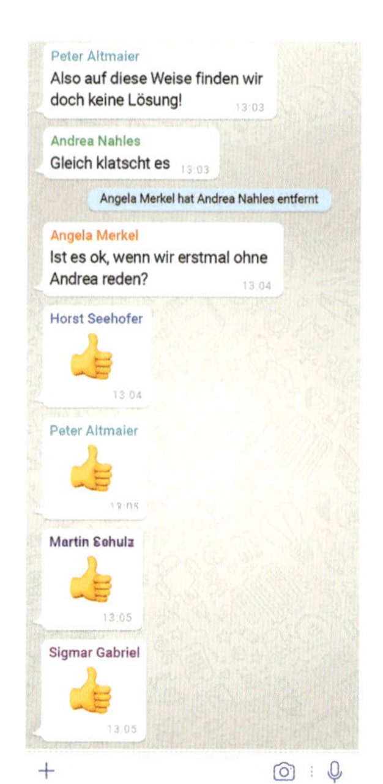

Nach der zwischenzeitlichen Entfernung von Andrea Nahles kommt es jedoch nur selten zu Verhandlungserfolgen für die SPD:

Doch auch kleine technikbedingte Pannen bleiben nicht aus (Andrea Nahles wurde inzwischen wieder hinzugefügt, musste jedoch versprechen, dass sie Beleidigungen und Drohungen auf ein Minimum reduziert):

Am vierten Tag der Sondierungen kam es zu diesem Überraschungsauftritt:

Es folgen weitere harte Diskussionen:

Angela Merkel
Was machen wir jetzt mit der Spatzensteuer?
😂 ich meine Spatzensteuer!
maaaaaann, blöde autokorrektur 😂😂 Spitzensteuer! So!

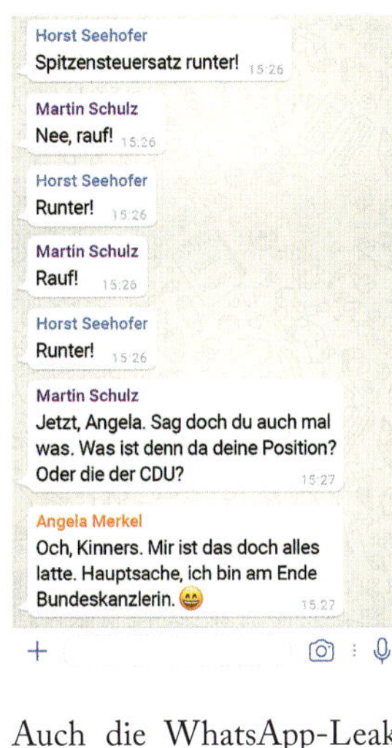

Auch die WhatsApp-Leaks bei den Jamaika-Sondierungen werden angesprochen:

Angela Merkel
Wie ihr alle wisst, hat das letzte Mal jemand die Gespräche der Jamaika-Sondierungen an die Presse weitergegeben.
Wer auch immer das war: Falls er jetzt noch hier dabei ist, sollte er sich besser in Acht nehmen!
Horst Seehofer
Also ich kann dir versichern: Ich war es nicht.
Peter Altmaier
Ich auch nicht!
Volker Kauder
Ich würde sowas nie tun.
Markus Söder
Ich auch nicht!
Angela Merkel
Nagut.
Auch ich würde dein Vertrauen niemals missbrauchen, Angela
Angela Merkel
Aber Ursel, das weiß ich doch! 😊

Unser letzter Chat stammt aus der finalen Marathon-Verhandlungsrunde im Willy-Brandt-Haus, die angeblich 26 Stunden dauerte:

Martin Schulz
So, ich geh in die Heia. Gut Nacht! 😴😴😴
Angela Merkel
Ich gleich auch. Guck noch Netflix.
Horst Seehofer
Aber Wecker stellen nicht vergessen!
Martin Schulz
Das wär peinlich. 😅
Also Treffen halb neun unten im Foyer, ja?
Angela Merkel
Genau, halb neun.
Horst Seehofer
Glaubt uns kein Mensch...
Angela Merkel
Ich hab das schon tausendmal gemacht. Hat nie jemand nachgefragt 😉
Martin Schulz
Horst hat recht. Das wären dann 26 Stunden, die wir angeblich verhandelt hätten... Gewagt!
Angela Merkel
Mein Trick: wirklich erst fünf Minuten vorher aufstehen und KEIN! Kaffe. Dann sieht man vor den Kameras müde und abgekämpft aus.
Und auf jeden Fall das Zeug tragen, das man am Tag vorher auch schon anhatte!
Horst Seehofer
Hehe. Ist übrigens meine erste Nacht im Willy-Brandt-Haus.
Martin Schulz
Meine auch.
Angela Merkel
Ruhe jetzt! House of Cards geht weiter.

SPD: Viele Neumitglieder wegen »sozialdemokratischer Gesinnung« abgelehnt

Berlin (dpo) - Seit dem Parteitag vorige Woche, auf dem die Aufnahme von Koalitionsgesprächen mit der Union beschlossen worden, sind zahlreiche neue Mitglieder in die SPD eingetreten. Auf die erste Freude folgt nun die Ernüchterung: Viele von ihnen werden wegen sozialdemokratischer Tendenzen abgelehnt.

Eigentlich klingen die Zahlen hocherfreulich: Tausende Interessenten haben in den letzten Wochen eine Mitgliedschaft in der SPD beantragt. Doch ein Großteil von ihnen wurde umgehend zurückgewiesen – im Parteivorstand geht die Angst um, Mitte-links-Radikale könnten die Eintrittswelle nutzen, um die Partei zu unterwandern und sozialdemokratisches Gedankengut in den Reihen der Genossen zu verbreiten.

Indizien dafür gibt es in der Tat zuhauf: Viele der Bewerber wollen nicht um jeden Preis in die Regierung, sondern wünschen sich eine gerechtere Verteilung des Vermögens in Deutschland, eine pazifistische Außenpolitik, die auf Diplomatie setzt, eine menschenwürdige Rente im Alter oder bessere Bezahlung von Pflegepersonal.

»Es gibt sogar einige, gar nicht wenige, die gerne den Mindestlohn erhöhen wollen!«, klagt SPD-Generalsekretär Lars Klingbeil. »Dass Leute in die Partei wollen, die sich nicht offen zur marktwirtschaftlich-neoliberalen Grundordnung der Bundesrepublik Deutschland bekennen, ist ungeheuerlich! Sozis haben in der SPD nichts zu suchen. Wehret den Anfängen!«

Martin Schulz wird Minister für Verarsche, Wortbruch und Wählerbetrug

Berlin (dpo) - Nach zähen Verhandlungen zur Großen Koalition werden nun erste Details zur Postenvergabe bekannt. SPD-Chef Schulz konnte sich das prestigeträchtige Ministerium für Verarsche, Wortbruch und Wählerbetrug sichern. Damit sind die drei Ressorts erstmals in einem Superministerium vereint.

Ganz überraschend ist die Personalie nicht. Zwar hatte Martin Schulz nach der Bundestagswahl noch mit klaren Worten mehrfach ausgeschlossen, in eine Große Koalition einzutreten oder gar Minister in einer Regierung Merkel zu werden. Doch genau das war offenbar die beste Bewerbung.

»Mit dieser verwegenen Taktik hat sich Schulz gekonnt als heißester Anwärter für das Amt ins Rennen gebracht«, erklärt Politologin Beate Schwenn.

Den Parteivorsitz will Schulz im Gegenzug abgeben, um sich in den nächsten vier Jahren ganz auf seine neue Aufgabe im Wortbruch-Ministerium konzentrieren zu können. Unklar ist, ob ihm das noch irgendjemand glaubt.

Willy-Brandt-Statue erwacht zum Leben und randaliert in SPD-Zentrale

Berlin (dpo) - Panik in der SPD-Bundeszentrale in Berlin! Unmittelbar nach der Bekanntgabe, dass die Parteibasis mit 66,02 Prozent eine neue Große Koalition befürwortet, hat sich die Statue von Altbundeskanzler Willy Brandt aus ihrer Verankerung gerissen und zu randalieren begonnen.

SPD-Mitglieder und Pressevertreter flüchteten panisch, während die 3,40 Meter große Bronzeskulptur des einstigen SPD-Chefs mit ohrenbetäubendem Gebrüll anfing, Gegenstände zu zertrümmern. Was die Statue derart erzürnte, ist bislang unklar.

»Aaaaaaaaaaaaah!«, kreischt eine SPD-Funktionärin. »Womit haben wir das verdient? Der war doch selber mal in einer GroKo! Oh mein Gott! Er hat Olaf! Neeeiiiinn! Lauf, Martin! Lauuuf!« Die Schüsse der inzwischen eingetroffenen Polizei prallen wirkungslos von dem Riesen ab.

Bereits seit Jahren kommt es immer wieder zu mysteriösem Verhalten der Skulptur des Bildhauers Rainer Fetting. So soll der Statue zu Zeiten der Einführung der Hartz-Gesetze etwa mehrfach salziges Wasser aus den Augen gelaufen sein. In den Monaten nach der Bundestagswahl verschob sich ihre Handhaltung in eine neue Position, die sich am besten als »Facepalm« umschreiben lässt.

Derzeit zieht die Skulptur noch randalierend durch das Willy-Brandt-Haus. Kurz vor Veröffentlichung dieses Artikels stellte sich jedoch Andrea Nahles dem Koloss mit den Worten »Los, zeig, was du drauf hast, Bronzekasper! Das ist nicht mehr deine Partei!« entgegen.

Merkel erneut vereidigt: Bundesweit euphorischer Jubel und Autokorsos

Berlin (dpo) - Mit den Stimmen von Union und SPD ist Angela Merkel heute erneut zur Bundeskanzlerin gewählt worden. Die Euphorie der Bevölkerung kennt keine Grenzen: Noch während ihrer Vereidigung gingen spontan Millionen Deutsche auf die Straße, um die vierte Amtszeit Merkels mit Sprechchören, Autokorsos und Deutschlandfahnen zu feiern.

»Geil! Vier Jahre Große Koalition! Ich flipp aus!«, ruft etwa Dennis W. aus Brandenburg, bevor er mit seinem BMW laut hupend davonfährt und sich in den Autokorso einreiht, der derzeit seine Runden durchs Berliner Regierungsviertel dreht. »GroKo! GroKo! GroKo!« Am Straßenrand prosten ihm zahlreiche Menschen euphorisch zu.

Viele haben sich extra für den besonderen Anlass freigenommen. So auch Anna Käsler (46): »Ich hab die gewählt, die Merkel, und deshalb feiere ich die jetzt. Merkel! Deutschland! Schalalalala! 364 : 315 Stimmen bei 9 Enthaltungen! Was für eine Wahl!« Dass es zahlreiche Abweichler gab, findet sie nicht schlimm. »Ist doch schön, wenn es ein bisschen spannend ist.«

Doch nicht nur auf den Straßen und den vielen Public-Viewing-Plätzen, wo die Vereidigung Merkels auf großen Leinwänden zu sehen ist – auch in Bars, Gaststätten und Restaurants herrscht ausgelassene Stimmung.

»Angelaaaaa!«, brüllt etwa ein junger Mann in einer Kölner Kneipe, in der Phoenix live läuft. »Wahnsinn! Schon das zweite Freibier hier! Geil, dass der Wirt auch ein GroKo-Fan ist!«

Auf der großen Bühne vor dem Brandenburger Tor, wo die offiziellen Feierlichkeiten zur vierten Amtszeit Merkels stattfinden, hat eine ausgelassene Gruppe von Unions- und SPD-Abgeordneten inzwischen »so gehen die AfDler, die AfDler, die gehen so« angestimmt, während immer wieder Fahnen, Hüte und Plastikbecher mit Bier durch die Luft fliegen.

Nicht nur in Berlin, wo gegen 21 Uhr ein großes Feuerwerk geplant ist, dürfte es noch eine lange Partynacht werden.

Clever: Mann mit Spezial-Teppich kann am Bahnhof rauchen, wo er will

Frankfurt (dpo) - Mit einem genialen wie einfachen Trick hat es ein Mann aus Frankfurt geschafft, das Rauchverbot in vielen Bahnhöfen zu umgehen: Wenn er am Bahnsteig schnell noch eine Zigarette rauchen will, legt Winfried Kampe einfach den von ihm entworfenen Raucherteppich aus. Dadurch wird ein rund einen Quadratmeter großes Areal wie von Zauberhand zum Raucherbereich.

»Die Sucherei nach diesen Raucherzonen hat mich schon immer genervt«, erklärt der 43-jährige Hobby-Tüftler. »Und dann sind die auch noch oft ganz am Ende des Bahnsteigs.«

Zudem gebe es inzwischen auch immer öfter komplette Nichtraucherbahnhöfe. »Da muss man dann erst komplett nach draußen laufen, wenn man sich eine Zigarette gönnen will. Da hab' ich mir gedacht: Nicht mit mir! Ich habe ab sofort meinen eigenen Raucherbereich immer dabei – ganz bequem zum Ausrollen.«

Im Alltag als Berufspendler habe sich die Erfindung bereits bewährt, so Kampe. »Klar, manche schauen komisch, wenn ich mir am Bahnsteig oder noch direkt in der Bahnhofshalle eine anstecke, aber sobald ich nach unten auf das gelbe Quadrat mit dem Zigarettensymbol deute, geben sie Ruhe.«

Bevor Kampe seine Zigarette anzündet, muss er nur noch seinen Teppich ausrollen.

Sein großer Traum sei es, seinen Raucherteppich auf den Markt zu bringen, erklärt er. »Ich bin sicher nicht der Einzige, der mehr Raucherbereiche im öffentlichen Raum braucht.« Immerhin ist sein Teppich auch auf Schulhöfen, in Wartezimmern, Restaurants, Flughäfen oder im Kino einsetzbar.

Zudem arbeitet Kampe bereits an einer neuen Erfindung – ebenfalls ein Teppich, aber deutlich länger und mit Streifenmuster. Laut Kampe kann man damit problemlos jede beliebige Straße überqueren.

Nach 2 Jahren Bauzeit: BER-Nachbau in China eröffnet

Peking (dpo) - Große Freude in der chinesischen Hauptstadt Peking: Nach nur 20 Monaten Bauzeit ist das asiatische Erfolgsprojekt 德国机场 am Donnerstag fertiggestellt worden. Der neue ostchinesische Hauptstadtflughafen verfügt über eine 1,5 Hektar große Fläche und ist exakt nach den Plänen des deutschen Flughafens Berlin Brandenburg errichtet worden.

»Wir haben uns für die Pläne des deutschen BER entschieden, weil sie uns besonders einfach erschienen«, erklärte der Planer und Ingenieur Hung Liu Cai bei der Einweihungsfeier, zu der Politiker und Prominente geladen waren.

Ein schlechtes Gewissen wegen des offensichtlichen Plagiats habe er nicht. Die Pläne seien schon Jahrzehnte alt, der Originalflughafen vermutlich längst fertig und die Angelegenheit in Deutschland sicher schon lange vergessen, sagt er, während er eines der gerade auf 德国机场 gelandeten Flugzeuge verlässt.

Im Inneren des Terminals herrscht bereits reger Betrieb:

Doch nicht alles lief beim Bau des neuen Hauptstadtflughafens glatt: Alle 28 Bauarbeiter sowie die Bauleitung sollen laut Medienberichten von der kommunistischen Partei verwarnt worden sein, weil die Arbeiten aufgrund von Problemen mit der Brandschutzanlage zwei Wochen später als geplant fertiggestellt wurde. Dadurch entstanden Zusatzkosten von umgerechnet mehreren Hunderttausend Euro.

Trotz dieser Pannen, die wohl einem Fehler in den deutschen Originalbauplänen geschuldet waren, plant der Bauträger des Flughafens bereits sein nächstes Großprojekt nach deutschem Vorbild: Im September 2019 soll in der südchinesischen Stadt Nanning ein unterirdischer Tiefbahnhof eröffnet werden.

BVB ändert Vereins-Motto von »Echte Liebe« in »Lass uns Freunde bleiben«

Dortmund (dpo) - Das war überfällig: Borussia Dortmund hat die Konsequenzen aus den aktuellen Entwicklungen gezogen und sich vom Club-Slogan »Echte Liebe« verabschiedet. Auf der Jahreshauptversammlung entschieden sich die Mitglieder mit großer Mehrheit für den angemesseneren Leitspruch »Lass uns Freunde bleiben«.

»Ich denke, mittlerweile dürfte es sich herumgesprochen haben, dass auch wir nur ein stinknormaler Verein sind – mit pfeifenden Event-Fans und Spielern, die davon träumen, woanders zu spielen«, sagte BVB-Geschäftsführer Hans-Joachim Watzke: »Das Motto ›Echte Liebe‹ wäre da auf Dauer unglaubwürdig.«

Der Mannschaftsbus wurde bereits umlackiert:

Der Slogan »Lass uns Freunde bleiben« setzte sich in einer internen Abstimmung knapp gegen »Komm Deine Sachen abholen, wenn ich nicht zu Hause bin« und »Ich weiß genau, dass du bei diesem bayerischen Flittchen bist« durch.

Die Shirts mit dem neuen Leitspruch können ab sofort im Fanshop für 139,99 Euro erworben werden. Alternativ ist der neue Kapuzensweater »Auba« (»BVB till Winterpause!«) ebenfalls dort erhältlich.

Nächster Ärger: Sächsischer Polizei-Panzer kann nur Richtung Osten fahren

Leipzig (dpo) - Nach der medialen Aufregung um ein aufgesticktes Logo im neuen Anti-Terror-Panzer der sächsischen Polizei droht nun neuer Ärger: Offenbar kann das gepanzerte Fahrzeug nur nach Osten fahren. Eine erste Testfahrt musste kurz vor der polnischen Grenze abgebrochen werden.

Stein des Anstoßes: Mit dieser harmlosen Stickerei fing der ganze Ärger an.

»Irgendetwas stimmt da nicht«, erklärt Gutachter Jörg Kuster, der das Fahrzeug testete. »Es war direkt verdächtig, dass im Navi des fabrikneuen Panzers automatisch Breslau als Ziel eingestellt war. Und bei der ersten Fahrt war klar: Egal, was man macht, vorwärts geht es nur Richtung Osten. Da wurde eindeutig gepfuscht.«

Eine effektive Verwendung wird so nahezu unmöglich, da das Fahrzeug vor jedem Einsatz erst westlich vom Gefahrenherd platziert werden muss und selbst dann nur sehr eingeschränkt manövrieren kann.

Von Pfusch will man beim Hersteller Rheinmetall jedoch nichts wissen. Der Kriegsfahrzeughersteller beteuert: »Es handelt sich hier um eine Sonderanfertigung, die wir exakt nach den Wünschen des sächsischen Innenministeriums bereitgestellt haben.«

Dies dürfte auch eine ganze weitere Reihe an »dubiosen Features« erklären:

- Das Radio empfängt nur den Sender Gleiwitz.

- Die Sirene spielt statt eines Warntons das Horst-Wessel-Lied.

- Der Motor lässt sich nur mit Ariernachweis starten.

- Der rechte Scheibenwischer steht ständig nach vorne ab.

Das sächsische Innenministerium bestätigte auf Anfrage, dass diese Besonderheiten nach Wunsch eingebaut wurden. »Das ist alles nur für den internen Gebrauch bestimmt und entspricht den lokalen Gepflogenheiten in Sachsen. Keine Sorge. Das wird schon seit 1991 so gehandhabt.«

Sollte die Öffentlichkeit aber weiterhin kleinliche Befindlichkeiten an der sächsischen Polizei auslassen, dann sehe man sich gezwungen die Undercover-Funktion einzusetzen und das Fahrzeug dadurch praktisch unsichtbar werden zu lassen.

Dieser Screenshot von der Webseite des SEKs zeigt, wie:

9 Anzeichen, dass Ihr Briefträger versucht, Sie umzubringen

Postboten sind wichtig, damit Mahnungen, Rechnungen und Reklame ihren Weg zu Ihnen nach Hause finden. Doch was, wenn Ihr Briefträger Ihnen heimlich nach dem Leben trachtet? Was, wenn er nur auf den passenden Moment wartet? Der Postillon nennt 9 eindeutige Anzeichen, dass Ihr Briefträger versucht, Sie umzubringen:

1. Er weiß, wie Sie heißen und wo Sie wohnen.

Sie haben privat nichts mit Ihrem Postboten zu tun. Dennoch kennt er Ihren Namen und Ihre Adresse? PSYCHO!

2. Er schleicht nahezu jeden Tag mindestens einmal vor Ihrem Haus herum.

Was hat Ihr Postbote nahezu täglich vor dem Gebäude zu suchen, in dem Sie wohnen, wenn er nicht ausbaldowert, wie er Sie am besten ermorden kann?

3. Er nickt Ihnen stets freundlich zu, wenn Sie ihm begegnen.

Der älteste Trick der Welt! Durch das freundliche Zunicken will er erreichen, dass Sie sich in Sicherheit wiegen. Der Mann ist eiskalt!

4. Er hinterlässt geheime Droh-Botschaften in Ihrer Post.

Kreist man die richtigen Buchstaben ein und setzt sie neu zusammen, dann steht in nahezu jedem Brief, den Sie erhalten die geheime Nachricht: »Ich werde Sie töten. Gezeichnet: Ihr Briefträger«

5. Er trägt ein schwarz-gelbes Mörder-Outfit.

Anstatt sich wie ein anständiger Mensch zu kleiden, schleicht er in einem schwarz-gelben Mörder-Outfit durch Ihre Nachbarschaft. Gelb steht für Neid, schwarz für den Tod.

6. Er streitet alles ab, sobald Sie ihn überwältigt und in Ihre Wohnung geschafft haben.

Wenn Sie endlich einschreiten, den Mann überwältigen und in Ihre Wohnung schleifen, ist er plötzlich ach so unschuldig und streitet alles ab – ganz genau so, wie ein kranker Mörder es tun würde, damit Sie sich dafür schuldig fühlen, ihn endlich geschnappt zu haben.

7. Er versucht, Ihr Mitleid zu erregen, indem er behauptet, er habe eine Familie.

In seinem Geldbeutel ist sogar extra ein Bild, das ihn mit Frau und kleinen Kindern zeigt – was für ein Zufall! Glauben Sie diese Mitleidsnummer nicht auch nur für eine Sekunde, wenn Ihnen Ihr Leben lieb ist.

8. Er versucht heimlich, seine Fesseln zu lösen, um Sie mit einem herumliegenden Gegenstand zu töten.

HA! Sie haben es ja wohl von Anfang an gewusst! Jetzt ist der richtige Zeitpunkt, um die Waffen aus Ihrer Anti-Briefträger-Waffenkammer einzusetzen, die Sie vorsorglich eingerichtet haben.

9. Er rennt in Panik aus dem Haus, um die Polizei zu ru- ... Moment mal ...

Ein Mörder würde das aber nicht tun. Da stimmt doch etwas nicht! Sind Sie hier vielleicht der Böse? Egal. Jetzt darf es keine Zeugen geben. Hinterher!

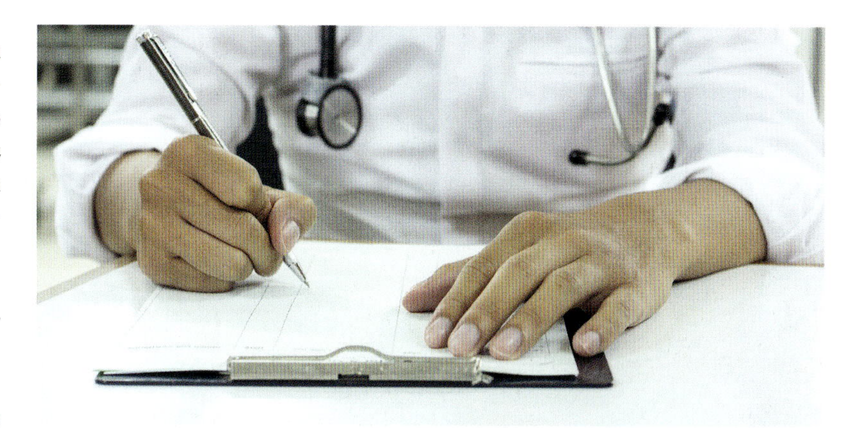

»Unleserliche Handschrift reicht«: Unis passen Zulassung für Mediziner an

Karlsruhe (dpo) - Nach dem Urteil des Bundesverfassungsgerichts in Karlsruhe zur Vergabe von Medizin-Studienplätzen haben zahlreiche Universitäten tief greifende Änderungen ihrer Vergabekriterien angekündigt. Anstelle der Abiturnote, die bislang stets wichtigstes Kriterium für Bewerber war, soll nun die Unleserlichkeit der Handschrift bei der Vergabe von Studienplätzen ausschlaggebend sein.

Dafür sollen eigens standardisierte handschriftliche Tests geschaffen werden, die jeder Studienbewerber absolvieren muss. Aufgenommen werden nur diejenigen, deren Text zu weniger als 20 Prozent entzifferbar ist.

»Wir akzeptieren das Urteil der Bundesverfassungsgerichts und schaffen den NC ab«, so ein Sprecher der Hochschulrektorenkonferenz (HRK). »Künftig soll kein Naturtalent mit Sauklaue zurückgelassen werden, nur weil die Abi-Noten nicht stimmen.«

Ohnehin gebe es zu viele Einserschüler, denen während des Medizinstudiums in mühsamen Intensivkursen erst die Schönschrift ausgetrieben werden müsse. »Da muss man sich schon die Frage stellen, ob diese Menschen für den Arztberuf geeignet sind.«

Die Bundesärztekammer äußerte sich am Nachmittag in einer ersten handschriftlichen Mitteilung. Demnach sehe man die Entscheidung dort »frhndstt ob zghurubha, duss 1 TL ar nur vine kfuri Kujanje geht«.

Der sogenannte Löffel-Effekt kann zu Wasserschwällen führen, die mehr Wucht haben als die berühmten Niagara-Fälle.

Beinahe ertrunken: Frau wollte Löffel am Wasserhahn spülen

Schwerin (dpo) - Eine kleine Unachtsamkeit ist einer Frau in Schwerin um ein Haar zum Verhängnis geworden: Nach Angaben der Polizei ertrank die 34-Jährige beinahe, als sie versuchte, einen Esslöffel von Hand am Wasserhahn zu spülen.

Demnach spülte die zweifache Mutter gerade einen gewöhnlichen Esslöffel ab, als die Löffelschale durch eine Unachtsamkeit direkt unter den Wasserstrahl geriet. In dem daraus resultierenden Wasserschwall kam die Frau fast ums Leben, ihr Ehemann und beide Kinder konnten sich zunächst auf den Küchentisch retten, von wo aus sie telefonisch Hilfe verständigten.

Derzeit liegt die 34-Jährige noch im Krankenhaus, schwebt jedoch nicht mehr in Lebensgefahr. »Sie hat viel Wasser geschluckt, aber sie kommt durch«, bestätigte ein Arzt gegenüber dem Postillon.

Das Haus der Familie sowie drei Nachbarhäuser, die aufgrund der Wassermassen evakuiert werden mussten, sind bis auf Weiteres unbewohnbar.

Jedes Jahr kommt es in Deutschland nach Angaben des Deutschen Feuerwehrverbandes beim Abspülen von Löffeln zu rund einem Dutzend schwerer Unfälle – meist gerät dabei der Löffel im falschen Winkel unter den Wasserhahn. Deshalb ist es ratsam, Löffel ausschließlich von der Spülmaschine säubern zu lassen. Wer kein solches Gerät besitzt, sollte Löffel in einem Wasserbad bei abgeschaltetem Wasserhahn reinigen oder Suppen und andere flüssige Speisen sicherheitshalber lieber mit einem wegwerfbaren Plastiklöffel oder Strohhalm zu sich nehmen.

Die Kunden laufen langsam weg: Sportschuhhersteller muss dringend nachbessern

Clever: Autofahrer spart durch Rasen auf der Autobahn über 40 Jahre Zeit

Magdeburg (dpo) - Und da sag' noch einer, Rasen lohnt sich nicht! Allein durch gewohnheitsmäßiges Fahren mit überhöhter Geschwindigkeit auf dem Nachhauseweg von der Arbeit hat Sebastian Sträuckner († 38) aus Magdeburg mehr als 40 Jahre seiner Lebenszeit eingespart.

»Viele denken, dass man durch Rasen, Drängeln und riskante Überholmanöver maximal einige Minuten herausholen kann«, erklärt Verkehrsexperte Daniel Röhs. »Aber das stimmt nicht. Wenn man es richtig anstellt, dann geht es um Jahrzehnte – selbst auf kurzen Strecken.«

Den Schulabschluss seiner Kinder, gemeinsame Urlaube, Rente – all das hat Sträuckner durch seine ruppige Fahrweise mit einem Schlag übersprungen. Kein Wunder, dass jährlich tausende Deutsche den Zeitspar-Trick von Sebastian Sträuckner nutzen.

Doch nicht nur sich selbst verschaffte der dreifache Familienvater einen üppigen Vorsprung: Ganz nebenbei half er einer 58-jährigen Großmutter und ihrem Enkelkind (3), deren Kleinwagen er im toten Winkel übersehen und von der Fahrbahn abgedrängt hatte, gleich mehrere Jahrzehnte an Zeit einzusparen.

Was Sebastian Sträuckner mit all den gewonnenen Jahren anstellt? Er nutzt sie, um sich auszuruhen und seinem neuen Hobby - dem Füttern von Würmern und Maden - nachzugehen.

Gerichtsurteil: Deutsche Bahn muss für Winterfahrplan Glücksspiel-Lizenz beantragen

Karlsruhe, Berlin (dpo) - Der Winter ist da – neben Sommer, Herbst und Frühling die für die Deutsche Bahn wohl unbequemste Jahreszeit. Aufgrund von ständigen Verspätungen und Ausfällen hat nun der Bundesgerichtshof den Winterfahrplan als Glücksspiel eingestuft – weshalb der Konzern jetzt in allen Bundesländern Lizenzen nach dem Lotterie-Staatsvertrag beantragen muss. Bis dahin darf die Bahn auch keine Fahrpläne mehr öffentlich aushängen.

»Der sogenannte Winterfahrplan der Deutschen Bahn erfüllt alle Voraussetzungen für Glücksspiel«, heißt es in der Urteilsbegründung. »Der Spielausgang, nämlich das Eintreffen eines Zuges, ist ausschließlich vom Zufall abhängig. Es gibt einen äußeren Anreiz in Form eines Gewinnes - also der Beförderung - und es gibt einen materiellen Einsatz, den Ticketpreis.«

Die Bekanntgabe der Gewinner findet in der Regel über eine große digitale Tafel statt:

Zudem seien die Spielbedingungen so ausgelegt, dass ein Spieler auf lange Sicht stets verliert. »Damit ist der Winterfahrplan als Wettspiel anzusehen, für den die Vorschriften des Glücksspiel-Staatsvertrages gelten.«

Die Deutsche Bahn wollte sich bislang nicht zu der brisanten Entscheidung äußern, da sich der zuständige Pressesprecher seit drei Tagen in einem liegen gebliebenen Zug in einem Tunnel in Thüringen aufhalte und nicht erreichbar sei.

Nach Einschätzung von Juristen wird der Gerichtsbeschluss allerdings massive Auswirkungen auf den Bahnverkehr in Deutschland haben: »Bahnhofsgebäude und Verkaufsstellen sind ab sofort als erlaubnispflichtige Spielhallen anzusehen«, sagt etwa der auf Lotterierecht spezialisierte Dr. Jörn Howe aus Berlin. »Das Gesetz schreibt solchen Spielhallen eine zurückhaltende äußere Gestaltung sowie eine Sperrzeit von mindestens drei Stunden am Tag vor.«

Die Spielautomaten der Deutschen Bahn müssen künftig regelmäßig von Sachverständigen geprüft werden:

Berichten zufolge hat die Bahn bereits damit begonnen, die Panoramafenster des Berliner Hauptbahnhofs mit Sichtschutzfolie abzukleben. Zudem erhalten Kunden bei der Buchung von Online-Tickets neuerdings ein Pop-Up mit dem Hinweis »Spielteilnahme erst ab 18 Jahren. Glücksspiel kann süchtig machen. Info unter: spielen-mit-verantwortung.de«.

Taucher finden Truhe voller Bitcoins in altem Schiffswrack

Gustavia (dpo) - Ein internationales Team von Schatzjägern hat vor der französischen Karibikinsel Saint-Barthélemy einen spektakulären Fund gemacht. Im Wrack einer alten spanischen Galeone aus dem 16. Jahrhundert entdeckten Taucher eine Truhe mit mehr als 100.000 Bitcoins im Wert von 1,4 Milliarden Euro.

Nach Angaben von Historikern war der Krypto-Schatz vermutlich um 1550 im damaligen Vizekönigreich Peru von Sklaven gemint und mit der Galeone »Nuestra Señora de Santiago« im Herbst 1552 auf den Weg nach Spanien geschickt worden. Doch das Schiff geriet in einen schweren Sturm und musste von der Besatzung in der Nähe der kleinen Insel Saint-Bathélemy aufgegeben werden. Während die Matrosen so viel Gold wie möglich mit von Bord nahmen, ließen sie die weniger wertvollen Bitcoins zurück.

In Madrid werden die Bitcoins genauer untersucht.

»Damals wusste man noch nicht, wie sich der Bitcoin-Kurs im 21. Jahrhundert entwickeln würde«, erklärt Numismatikerin Carmen Martinez von der Universität Madrid, während sie einige Exemplare der virtuellen Münzen durch ein Elektronenmikroskop betrachtet. »Die Bitcoins bestehen aus 24-karätiger Blockchain und sind in erstaunlich gutem Zustand. Sehen Sie: Hier kann man sogar noch die Gravur lesen ›UN COINO DE BIT - CARLOS I. REINA DE LAS ESPAÑAS‹.«

Das Minen von Bitcoins wurde im 16. Jahrhundert hauptsächlich mit dem Rechenschieber durchgeführt. Nur weil damals noch nicht so viele Bitcoins existierten, reichte die vergleichsweise niedrige Rechenpower eines Abakus aus. Heute werden dafür moderne Computer genutzt.

Die altertümlichen Krypto-Münzen sollen im nächsten Jahr in einer Sonderausstellung im Museo del Prado der Öffentlichkeit präsentiert werden.

Wegen Kreuz im Logo: Strenggläubiger Muslim will keinen Jägermeister mehr trinken

Münster (dpo) - Es ist ein großes Opfer, doch für Yasin Khouri geht es ums Prinzip: Der nach eigenen Angaben strenggläubige Muslim aus Münster will künftig keinen Jägermeister mehr trinken, weil im Logo des beliebten Kräuterlikörs ein christliches Kreuz prangt.

Der 23-Jährige berichtet, wie es zu dem Entschluss kam: »Ich hatte gerade eine Flasche Jägermeister ausgetrunken und wollte die nächste öffnen, als mir plötzlich dieses Kreuz auffiel. Das hatte ich in all den Jahren davor nie bemerkt. Das geht natürlich gar nicht! Als strenggläubiger Muslim verletzt das meine religiösen Gefühle! Ich habe dann sofort den Rest weggekippt und bin auf Bier umgestiegen.«

Dabei war Khouri bisher so begeistert von dem leckeren Getränk gewesen: »Ich hatte das extra recherchiert: Der Hirsch auf dem Logo ist laut Koran halāl und Grün ist ja auch noch die Farbe des Propheten Mohammed. Eigentlich der perfekte Drink, wenn da jetzt nicht dieses Kreuz wäre!«

Nun bleibt ihm nur der Boykott. Bis die Mast-Jägermeister GmbH ein Einsehen hat und das Kreuz von der Flasche entfernt oder durch einen Halbmond ersetzt, will Yasin Khouri auf Jägermeister bewusst verzichten. »Das empfehle ich auch allen meinen Glaubensbrüdern. Zum Glück gibt es ja noch andere Kräuterliköre wie Kuemmerling oder Ramazzotti.«

Delinquenten dürfen eines natürlichen Todes sterben: Elektrischer Stuhl wird mit Ökostrom betrieben

»Das wird schon wieder«: Mann heilt depressiven Freund mit einem einzigen Satz

Hamburg (dpo) - Sensationeller Durchbruch in der Psychologie! Der Bankangestellte Manuel P. hat seinen seit geraumer Zeit an Depressionen leidenden Freund geheilt. Gelungen ist ihm dies mit dem einfachen Satz »Das wird schon wieder«, nachdem der Freund ihm seine Erkrankung gebeichtet hatte. Fachleute sind sich einig, dass die Methode die gesamte Psychotherapie revolutionieren könnte.

Manuel P. erzählt, wie es zu der Wunderheilung kam: »Mein Kumpel Max war eigentlich immer ziemlich gut drauf. Im Freundeskreis war er sogar als Sprücheklopfer bekannt. Als er mir dann in einem ernsten Moment plötzlich von seiner Depression erzählt hat, erschien mir das einfach nicht richtig. Nicht bei dem. Na, und wer sonst so gut drauf ist, der bleibt bestimmt auch nicht lange schlecht gelaunt. ›Das wird schon wieder‹, das habe ich ihm dann auch gesagt. Und zack, hat er wieder gelächelt.«

Seit dem denkwürdigen Moment hat Max das Thema nie wieder angesprochen. »Er ist wieder völlig normal, die Depression hat sich einfach in Luft aufgelöst«, berichtet Manuel P. stolz. »Er hat sich mir gegenüber kein einziges Mal mehr dazu geäußert.«

Auch Psychologen sind von der Wirkung der vier Wörter beeindruckt: »Ähnliche Heilungserfolge erzielen Freunde und Verwandte von Depressionspatienten allenfalls durch Aussagen wie ›Kopf hoch!‹, ›Denk einfach nicht dran‹ und ›Anderen Leuten geht es noch viel schlechter als dir‹«, erklärt etwa Psychotherapeut Werner Franke.

Manuel P. jedenfalls ist froh, dass er seinen Kumpel heilen konnte. »Ich hatte schon befürchtet, ich müsste mich näher mit ihm befassen, auf seine Gefühle eingehen und so Kram. Außerdem hätte der doch die ganze Stimmung in unserer Clique runtergezogen.«

Holte sich einen Satz heiße Ohren: Kannibalenkind wurde für Diebstahl am Buffet bestraft

Nicht jeder Rentner kann diesen Luxus genießen.

Immer mehr Rentner können sich Busfahrkarte zur örtlichen Tafel nicht leisten

Berlin (dpo) - Sozialverbände in Deutschland schlagen Alarm. Aufgrund der wachsenden Altersarmut können sich deutsche Rentner offenbar immer seltener die Busfahrkarte zu den örtlichen Tafeln oder Einrichtungen anderer Wohltätigkeitsorganisationen leisten, wo sie mit kostenlosem Essen versorgt werden, das sonst weggeworfen würde.

»Das ist ein Armutszeugnis für unsere Gesellschaft«, erklärt Christine Scherer von der Berliner Tafel. »In einem reichen Land wie Deutschland sollte eigentlich jeder Rentner genug Geld haben, um sich die Fahrt zu einer Armenspeisung leisten zu können. Das ist einfach eine Frage der Menschenwürde.

In den letzten zehn Jahren hat sich die Zahl der Rentner, die regelmäßig die Tafeln aufsuchen verdoppelt. Inzwischen stellen sie rund ein Viertel der Bedürftigen. Könnten sich mehr Senioren die Busfahrkarte dorthin leisten, wäre der Anteil womöglich noch größer.

»Den Enkeln zweimal im Jahr ein Bonbon zustecken, die Busfahrt zur Tafel aus der eigenen Tasche bezahlen können – das sind schon Sachen, die normalerweise zu einem sorgenfreien Lebensabend gehören«, meint etwa der 83-jährige Burkhardt Kortig, während er mit ausgestrecktem Daumen am Straßenrand steht. »Mist! Mittagessen ist fast rum und heute will mich einfach niemand mitnehmen.«

Da aus der Politik derzeit keine Unterstützung zu erwarten ist, haben engagierte Bürger inzwischen eine soziale Hilfsorganisation gegründet. Bei den sogenannten »Tickets« können wohlhabendere Menschen ihre fast abgelaufenen Fahrkarten spenden. Diese werden dann an bedürftige Rentner verteilt, damit diese sich die Anreise zur örtlichen Tafel leisten können.

»Normalerweise müssen wir uns bei einer Expansion erst einmal mühsam einig werden, nach welchen Kriterien wir Länder untereinander aufteilen«, erklärt Aldi-Süd-Chef Norbert Podschlapp. »Aber bei unserer ersten großen Ostasien-Expansion war sofort klar, wie die Gebietsaufteilung aussieht.«

Während Aldi Süd seine neue Korea-Zentrale in Seoul eröffnet, baut Aldi Nord derzeit am Sitz in Pjöngjang.

»Unsere Marktanalysen haben ergeben, dass die Nordkoreaner außerordentlich hungrige Kunden sind«, so Aldi-Nord-Chef Marc Heußlinger auf Anfrage des Postillon. »Und auch der Staatschef soll kein Kostverächter sein. Als Lebensmitteldiscounter ist das natürlich Musik in unseren Ohren.«

Passende Gebietsstruktur: Aldi expandiert nach Nord- und Südkorea

Seoul, Pjöngjang (dpo) - Im europäischen Ausland, den USA und Australien ist der Lebensmitteldiscounter Aldi bereits erfolgreich vertreten. Nun wollen Aldi Nord und Aldi Süd gemeinsam auch den asiatischen Markt erobern: Aufgrund der passenden Gebietsstruktur expandieren die Schwesterunternehmen noch in diesem Jahr nach Nord- und Südkorea.

Zudem gebe es bislang so gut wie keine Konkurrenz. Heußlinger fügt verschwörerisch hinzu: »Mal unter uns: Ich glaube, wir haben Aldi Süd da ziemlich über den Tisch gezogen.«

Mann unterbricht Stuhlgang, weil er Smartphone im Wohnzimmer vergessen hat

Frankfurt (dpo) - Er hielt es ohne einfach nicht mehr aus. Michael Metz aus Frankfurt am Main musste heute seinen Stuhlgang schon nach wenigen Minuten unterbrechen, um sein zuvor vergessenes Smartphone aus dem Wohnzimmer zu holen. Anschließend setzte der 33-Jährige sein Geschäft fort.

»Das waren die längsten zweieinhalb Minuten meines Lebens«, erinnert sich Metz an seine Notlage. »Ich habe sofort gemerkt, dass ich mein Handy vergessen habe, aber ich dachte erst: Kein Ding. Das halte ich aus.«

Doch nach internetlosen 150 Sekunden wurde dem Mann klar, dass er das nicht ohne sein Smartphone durchstehen würde. »Also habe ich mir ein Stück Papier zwischen die Backen geklemmt und bin mit heruntergelassener Hose ins Wohnzimmer und wieder zurück gehoppelt.«

Die Entscheidung hat Michael nicht bereut. Zwei ungelesene WhatsApp-Nachrichten, eine Facebook-Freundschaftsanfrage und eine aktualisierte Twitter-Timeline gaben ihm Recht.

Nur 34 Minuten und einen neuen Candy-Crush-Highscore später beendete Metz seinen Stuhlgang.

Nahles setzt Historikerkommission ein, die herausfinden soll, was das »S« in SPD bedeutet

Berlin (dpo) - Was hat es nur mit diesem Buchstaben auf sich? Kurz nach ihrer Wahl zur neuen Parteivorsitzenden der SPD hat Andrea Nahles eine Historikerkommission damit beauftragt, herauszufinden, was das »S« im Namen der Partei bedeutet. Zuvor hatte keiner ihrer Parteigenossen erklären können, was hinter dem rätselhaften Konsonanten steckt.

»P und D stehen für Partei und Deutschland, das ist ja klar«, erklärte Nahles heute bei einer Pressekonferenz zur Einsetzung der Kommission. »Aber das S muss doch auch irgendetwas bedeuten! Alle Parteien haben doch irgendeine Richtung, oder?«

Die Historiker sollen daher in den Partei-Archiven nach Aufzeichnungen suchen, die Hinweise liefern könnten. »Sie werden so weit in die Vergangenheit schauen wie nötig – und falls es vor Schröder auch schon so etwas wie eine SPD gab, werden sie auch die unter die Lupe nehmen«, so die Parteichefin.

Kurzzeitig habe man gedacht, die Lösung bereits gefunden zu haben. Nahles: »Da mein Vorgänger Schulz hieß, vermuteten einige, dass das S für Schulz-Partei Deutschlands steht. Aber letztlich stellte sich das als Quatsch heraus, denn sonst hätte die SPD ja vor Schulz GPD heißen müssen. Und inzwischen NPD.«

Sie vermute eher, dass das S für einen positiven Begriff wie »super«, »schnafte«, »Schlumpf«, »Schnitzel« oder »Schönwetter« stehe. »Aber ich lasse mich da von unserer Historikerkommission gerne eines Besseren belehren«, so Nahles.

Nebenbei hofft man in der Parteispitze, auch über die Bedeutung des zweiten Namensteils der Parteijugendorganisation »Jusos« Gewissheit zu erlangen. Derzeit vermutet man lediglich, dass der Begriff irgendetwas mit »jung« und dem internationalen Hilferuf für Schiffe in Seenot zu tun hat.

VW, Daimler und BMW geben zu: Stuttgart ist nur ein gigantisches Abgas-Experiment

Stuttgart (dpo) - Die Skandal-Enthüllungen hören nicht auf. Erst mussten die größten deutschen Autohersteller einräumen, Abgastests an Menschen und Affen durchgeführt zu haben. Nun wird bekannt: Eine komplette Stadt wird seit Jahr und Tag als Labor genutzt.

Zwar handelt es sich nur um Stuttgart, dennoch ist die Empörung bundesweit riesig. Die 612.000 Einwohner werden seit Jahrzehnten als Probanden für ein moralisch fragwürdiges Experiment genutzt: Forscher von Volkswagen, Daimler und BMW gehen dort großangelegt der Frage nach, wie viel Stickoxide, Feinstaub und andere Umweltgifte in der Atemluft dem menschlichen Körper schaden. Das mussten die Unternehmen heute öffentlich zugeben.

Stuttgart an einem durchschnittlichen Tag:

Zuvor wurde bekannt, dass die Autoproduzenten ähnliche Experimente an Affen durchführten, aber in erheblich kleinerem Rahmen. »Wirklich aussagekräftige Ergebnisse erhält man nur in groß angelegten Studien unter Realbedingungen an Primaten der Spezies Homo Sapiens«, sagt ein Sprecher des Konsortiums, der Stuttgart grundsätzlich nur mit Atemschutzmaske betritt.

Die Wahl sei seinerzeit auf Stuttgart gefallen, weil die Stadt sich niemals gegen Wünsche der Industrie stellen würde.

Bereits seit vielen Jahren werden in Baden-Württembergs Hauptstadt Schadstoffausstöße gemessen, die die zulässigen Grenzwerte um ein Vielfaches überschreiten. Nur so ließ sich ermitteln, wie viele Schadstoffe der menschliche Körper auf lange Sicht verkraftet.

»Heute wissen wir natürlich, dass so ein Experiment nicht mit unseren hohen ethischen Standards in Einklang zu bringen sind, die wir uns an diesem Wochenende auferlegt haben«, so der Sprecher.

Klimawandel: Italienische Restaurants bieten nur noch Pizza Drei Jahreszeiten an

Köln (dpo) - Wer derzeit beim Italiener in die Speisekarte blickt, könnte im ersten Augenblick denken, er sieht nicht recht. Denn inzwischen bieten immer mehr Restaurants anstelle der beliebten Pizza Quattro Stagioni nur noch Pizza Tre Stagioni an. Schuld ist offenbar der Klimawandel.

Klimaforscherin Katarina Molitor erklärt: »Die globale Erwärmung geht auch an der Pizza nicht vorbei. Inzwischen kann eine klassische Pizza Vier Jahreszeiten nur noch in der Eifel und in den Alpenregionen bestellt werden, wo es noch einen richtigen Winter gibt.«

In den meisten anderen Regionen gebe es jedoch nur noch Pizza Drei Jahreszeiten. »Frühling, Sommer und Herbst. Mehr ist nicht mehr. Und wenn erstmal der Mozzarella komplett abgeschmolzen ist, dann gute Nacht!«, warnt Molitor.

Denn der Verlust einer Jahreszeit auf der Pizza Quattro Stagioni könnte erst der Anfang gewesen sein. Aktuellen Klimamodellen zufolge steht zu befürchten, dass Pizzerien hierzulande schon in wenigen Jahrzehnten nur noch Pizza Hawaii auf der Speisekarte haben.

Lichtsparen war noch nie so einfach.

Die neue Philips-Lichtspar-Glühbirne

100 % Stromverbrauch

0 % Lichtemission

Patentierte Zero-Light-Technologie

PHILIPS

»Na endlich!« Übergewichtige Soldaten freuen sich auf Uniformen für Schwangere

Berlin, Bad Reichenhall (dpo) - Die Bundeswehr möchte noch in diesem Jahr Umstandsuniformen für schwangere Soldatinnen einführen. Darüber freuen sich vor allem zahlreiche übergewichtige männliche Kollegen, die seit Jahren mit der viel zu engen Berufskleidung zu kämpfen haben.

Robert Schröder etwa ist seit 15 Jahren Berufssoldat. Seit mindestens sechs Jahren leidet er an starkem Übergewicht. »Selbst eine herkömmliche XXL-Uniform reichte bei mir nicht mehr«, so der 42-Jährige, der eine der ersten Umstandsuniformen testen durfte.

Im Dezember letzten Jahres wurde der 115-Kilo-Mann gar zu drei Wochen Latrinendienst verdonnert, als ein Knopf seiner Uniformjacke wegen der hohen Belastung abgesprengt wurde und einen Vorgesetzten im Gesicht traf. Dank der neuen Berufskleidung kann er jetzt endlich aufatmen, ohne Angst um seine Nähte haben zu müssen.

Auch Thorsten Haye (122 Kilogramm) von der Gebirgsjägerbrigade 23 in Bad Reichenhall ist begeistert: »Mit der neuen Uniform kann ich jetzt endlich wieder an allen Übungen teilnehmen«, freut sich der Elitesoldat. »Wobei ich mich in meinem Zustand natürlich nicht zu sehr anstrengen sollte.«

Besonders hilfreich findet Haye, dass die Umstandsuniformen für eine komplette Schwangerschaft ausgelegt und daher entsprechend elastisch sind. »Da braucht man nicht immer gleich eine neue, wenn man wieder ein bisschen zugelegt hat.«

Dass die Uniformen ja eigentlich für Frauen gedacht sind, stört Schröder, Haye und zahlreiche weitere korpulente Kameraden, die bereits Schwangerschaftsdienstkleidung beantragt haben, nicht. Im Gegenteil: »Das ist super. Da passt nicht nur mein Bierbauch gut rein, sondern auch obenrum ist genug Platz für meine Brüste«, schwärmt Haye.

Kurden froh, dass sie deutsche Waffen haben, um sich gegen deutsche Panzer der Türken zu wehren

Afrin (dpo) - Gut, dass es deutsche Waffenhersteller gibt! Kurdische Kämpfer im Norden Syriens sind derzeit nach eigenen Angaben zutiefst dankbar, dass sie deutsche Panzerabwehrwaffen besitzen, um sich gegen die deutschen Panzer der türkischen Armee zur Wehr zu setzen.

»Nichts vernichtet einen Leopard 2 aus guter deutscher Handarbeit besser als eine MILAN-Panzerabwehrrakete oder eine Panzerfaust 3 aus guter deutscher Handarbeit«, erklärt ein General der kurdischen YPG-Miliz, die derzeit nahe der syrischen Stadt Afrin gegen die türkische Armee kämpft. »Wir können wirklich von Glück reden, dass die Deutschen offenbar an jede Konfliktpartei in der Region fleißig Waffen liefern.«

Die MILAN-Abwehrraketensysteme und Panzerfäuste stammen aus den umfangreichen Waffenlieferungen der Bundeswehr an die ebenfalls kurdischen Peschmerga im Nordirak. Die Leopard-2-Panzer der türkischen Armee wiederum sind Teil langjähriger Rüstungsexporte in die Türkei.

»Danke, Deutschland!«, so der YPG-General und lauscht an seinem Funkgerät. »Oh, ich höre gerade, dass die Türken mit mehreren Leopard-Panzern vorrücken. Er schultert sein HK-G36-Sturmgewehr und braust in seinem Panzerfahrzeug Dingo 1 in Richtung Front.

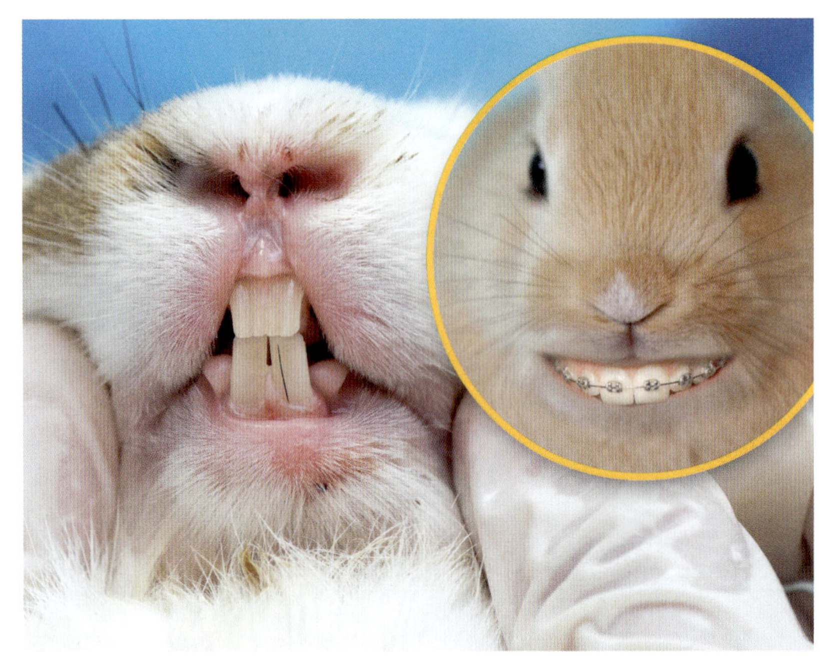

97 Prozent aller Hasen leiden an Überbiss und bräuchten eine Zahnspange

Hannover (dpo) - Nahezu alle Hasen in Deutschland leiden an Überbiss. Zu diesem Ergebnis kommt eine aktuelle Studie der zahnmedizinischen Fakultät der Hochschule Hannover. Demnach bräuchten bis zu 97 Prozent aller Tiere der Gattung Hase, zu der auch Kaninchen gehören, zur Korrektur der Fehlstellung eine Zahnspange.

»Unsere Befunde sind so eindeutig wie erschütternd«, bestätigt der Leiter der Studie, Dr. dent. Karl Benninger. »Bei kaum einer Tierart sind Hasenzähne so weit verbreitet wie bei Hasen.«

Es stehe nicht nur zu befürchten, dass die betroffenen Tiere wegen ihrer Zahnfehlstellung in der Schule gehänselt werden, auch Kariesprobleme sowie ein erhöhtes Verletzungsrisiko bei einem Sturz gelten als typische Folgen von Überbiss.

Daher sei es dringend geboten, dass Hasen und Kaninchen in ihrer Jugend für mindestens 18 Monate eine Zahnspange tragen.

»Klar, in diesem Zeitraum, besteht natürlich auch die Gefahr, dass sie wegen ihrer Zahnspange verspottet werden, aber dafür haben sie danach herrlich gerade Zähne«, so Benninger. »Das ist auch sehr wichtig für das Selbstbewusstsein.«

Und tatsächlich, die Ergebnisse sprechen für sich. Diese drei Kaninchen trugen bereits eine Zahnspange und haben ihre sprichwörtliche Scheuheit abgelegt:

Neuer Trend unter Müttern: »Dein Kind«-Witze

Berlin (dpo) - »Dein Kind ist so unbeliebt, dass es nicht mal gemobbt wird.« – Sätze wie diesen hört man im Alltag immer öfter. Denn derzeit zeichnet sich unter Müttern ein neuer Trend ab: »Dein Kind«-Witze, die den Nachwuchs der Freundinnen aufs Übelste beleidigen, sorgen nicht nur im Internet für Erheiterung und Kritik.

»Angefangen hat nach derzeitiger Quellenlage wohl alles mit einem Streit zwischen zwei Müttern um einen Kita-Platz in Köln«, erzählt Soziologe Henning Beilig, der sich derzeit in seiner Doktorarbeit dem Phänomen widmet. »Von dort haben ›Dein Kind‹-Witze dann die ganze Republik erobert.«

Oft spielen »Dein Kind«-Witze mit schulischem Unvermögen, schlechter Erziehung oder schlicht dem Aussehen des jeweiligen Kindes und münden nicht selten in einen regelrechten Überbietungswettbewerb.

Etwa: »Deine Tochter ist so hässlich, dass sich morgens ihr Spiegelbild übergeben muss.« - »Na und? Dein Sohn ist so eklig, nicht mal seine eigene Hand will ihm einen runterholen.« - »Ach ja? Und ich habe gehört, die Geburt deines Kindes wurde mit Abführmittel eingeleitet.«

Bisweilen werden auch einfach nur Versatzstücke wie »Ja ja, dein Kind« oder »Ey, dein Kind« genutzt, die als Konter fungieren.

Die thematische Spannweite ist entsprechend der reichen Lebenserfahrung vieler Mütter groß. Religiöse Themen (»Dein Kind ist so dumm, dank ihm musste selbst Gott einsehen, dass er nicht unfehlbar ist.«) werden ebenso behandelt wie körperliche Defizite (»Dein Kind ist so fett, es wird beim Sport nicht mal auf die Reservebank gewählt.« oder »Dein Kind kann man leider nicht im Wald aussetzen, weil es nicht zwischen den Bäumen durchpasst.«), der Mangel an beruflichen Perspektiven (»Dein Kind kratzt an Bäumen nach Hartz IV.«) oder physikalische Unmöglichkeiten (»Dein Kind stinkt sogar auf Fotos.«).

Während nicht wenige den neuen Trend als harmlosen Spaß ansehen, beklagen andere die allgemeine Verrohung der Gesellschaft, die zu derart unflätigen Beleidigungen des Nachwuchses führt. Freundinnen des gepflegten »Dein-Kind«-Witzes mutmaßen allerdings, dass die Kritiker selbst so hässliche und dumme Kinder haben, dass sie nicht darüber lachen können.

Stark betrunkener Wiesn-Besucher will sich nicht übergeben, weil das Bier so teuer war

München (dpo) - So eine Verschwendung kommt für ihn nicht in Frage! Seit mehr als drei Stunden weigert sich der stark angetrunkene Wiesn-Besucher Wolfgang Kröning aus Augsburg trotz heftiger Krämpfe, sich zu übergeben. Dazu war dem 36-Jährigen das Oktoberfest-Bier viel zu teuer.

»Ich kann Wolfgang ja gut verstehen«, erklärt sein bester Freund Markus, während er sich um den am Boden Liegenden kümmert. »Ich musste ja auch selbst erst meinen Bausparvertrag auflösen, um dieses Jahr hier Bier trinken zu können. Aber als mir vorhin übel war, habe ich sofort gekotzt. Klar, das war Bier im Wert eines Kleinwagens, aber was muss, das muss.«

Wolfgang Kröning dagegen schluckt seit Stunden eisern alles wieder herunter, was sich seinen Weg nach oben bahnen will. »Schwill jedn Troffen Bier in mir bhalten. Alles annere wäre Verschwennhnng«, versucht er zu erklären, bevor er sich erneut vor Schmerzen krümmt.

Der Heizungsinstallateur ist nur einer von vielen Wiesn-Besuchern, die ihre Kosten bei Preisen von bis zu 10,95 Euro pro Maß Bier bewusst klein halten wollen. Allein gestern mussten nach Angaben der Rettungskräfte vor Ort sechs Menschen mit geborstener Blase ins Krankenhaus eingeliefert werden, weil sie sich geweigert hatten zu pinkeln.

»Wir raten jedem Oktoberfestbesucher aus gesundheitlichen Gründen ganz klar davon ab, zu versuchen, Festbier unter allen Umständen bei sich zu behalten«, erklärt Roman Seger vom Deutschen Roten Kreuz. »Hören Sie unbedingt auf die Signale Ihres Körpers. Im Zweifelsfall kann man ja einfach einen Maßkrug unterstellen und sich das wertvolle Getränk anschließend wieder einverleiben, wenn es einem besser geht.«

Immer mehr investieren aufgrund der Preisentwicklung lieber in Oktoberfestbier (auch bekannt als »goldgelbes Gold«) als in Gold (rechts im Bild).

Unnötig in die Länge gezogen: Beziehung endet zwei Wochen nach Penisvergrößerung

Neuer Skandal: Autohersteller führten jahrzehntelang Elchtests durch

Wolfsburg, Stuttgart, München (dpo) - Schon wieder erschüttert ein ethischer Skandal die Automobilbranche. Wie der Postillon aus mehreren Quellen erfuhr, führten die großen deutschen Autohersteller jahrelang routinemäßig Elchtests durch.

Wie viele der majestätischen Großhirsche die Konzerne auf dem Gewissen haben, ist bislang unklar. Auf Basis unzähliger Akten lässt sich lediglich sagen, dass Elchtests bis zum heutigen Tage bei nahezu allen Fahrzeugherstellern standardmäßig durchgeführt werden.

Bei Mercedes war man in den späten 90er-Jahren sogar geradezu besessen von Elchtests – immer wieder taucht der Begriff in internen Mails und Memos auf.

Was jedoch genau mit den Elchen geschah und ob sie ebenfalls Abgase einatmen mussten, ist nicht bekannt.

In einer ersten Reaktion forderte die Tierrechtsorganisation PETA den sofortigen Rücktritt aller Beteiligten. Das Bundesverkehrsministerium hat sich bislang noch nicht zu den Enthüllungen geäußert.

Foto von einem Elchtest. An welcher Stelle genau der Elch ins Spiel kam, ist noch nicht geklärt.

Daumen nach unten: Patient gibt Handchirurgen schlechte Bewertung

Student will nur eine Folge auf Netflix gucken, bevor er mit Lernen anfängt

Freiburg (dpo) - Mark Zendler aus Freiburg will die morgige Makroökonomie-Klausur verantwortungsbewusster angehen als sonst. Deshalb will er nur eine einzige Folge *Walking Dead* auf Netflix ansehen und dann den gesamten Nachmittag und Abend lernen. Das hat er sich fest vorgenommen.

»So eine Folge dauert nur gut 40 Minuten, die ist schnell rum«, denkt der 24-Jährige. »Es ist ja kein Spielfilm mit Überlänge oder sowas. Das ist locker drin.« Ganz verzichten möchte Zendler nicht. Immerhin sei die vierte Staffel gerade sehr spannend und man müsse sich auch mal etwas gönnen.

»Aber sobald der Abspann läuft, halte ich den Stream sofort an und dann wird gebüffelt«, so Zendler selbstbewusst. »Wenn man nicht aufpasst, läuft das nämlich automatisch weiter und dann kommt gleich die nächste Folge. Das werde ich zu verhindern wissen.«

Bei Redaktionsschluss befand sich Mark Zendler in Staffel 6, war aber nach eigener Aussage kurz davor aufzuhören. »Spätestens nach dem Staffelfinale. Da wird ja hoffentlich kein spannender Cliffhanger am Ende sein oder so.«

Für seine treuen Dienste: Rüstungsindustrie errichtet Denkmal zu Ehren Sigmar Gabriels

Berlin (dpo) - Sie haben ihm so viel zu verdanken: Nach dem Ausscheiden von Sigmar Gabriel aus dem Bundeskabinett hat die deutsche Rüstungsindustrie den SPD-Politiker heute in Berlin mit einem eigenen Denkmal geehrt. Kein anderer Politiker der letzten Jahre habe sich so um deutsche Waffenexporte verdient gemacht wie der ehemalige Wirtschafts- und Außenminister.

»Sigmar Gabriel hat uns in seiner Zeit als Wirtschaftsminister absolute Traum-Deals ermöglicht«, so Armin Papperger vom Bundesverband der Deutschen Sicherheits- und Verteidigungsindustrie (BDSV), vor dessen Zentrale das Denkmal eingeweiht wurde. »7,86 Milliarden genehmigte Rüstungsexporte im Jahr 2015, 6,85 Milliarden im Jahr 2016 – das waren der höchste und der zweithöchste Wert aller Zeiten. Das hat nicht mal Schwarz-Gelb geschafft.«

Weiterhin hob der BDSV-Präsident in seiner Laudatio lobend hervor, dass Gabriel selbst in seiner Zeit als Außenminister der Rüstungsindustrie treu geblieben sei. So waren etwa die Genehmigungen für Waffenexporte in die Türkei kurz vor der von Gabriel ausgehandelten Freilassung Deniz Yücels plötzlich sprunghaft angestiegen.

Gabriels Verdienste seien besonders hoch anzurechnen, weil die SPD auf eine lange friedenspolitische Tradition zurückblicken kann. »Die Sozialdemokraten standen bis vor nicht allzu langer Zeit für Abrüstung und Entspannungspolitik … entschuldigen Sie bitte, ich kriege immer noch Tränen der Rührung in den Augen, wenn ich daran denke, gegen welche Widerstände er das möglich gemacht … Jedenfalls: Sigmar, wir stehen tief in deiner Schuld!«

Nach der bewegenden Rede wurde die fünf Tonnen schwere, aus Panzerstahl gefertigte Statue unter großem Applaus und Salutschüssen enthüllt. Die Kosten für das überlebensgroße Denkmal werden zu gleichen Teilen von Krauss-Maffei Wegmann, Rheinmetall, Heckler & Koch sowie Diehl Defence getragen.

Versengt: Unachtsamer Raucher muss Schlauchbootfahrt vorzeitig beenden

VW-Chefs hoffen, dass Öffentlichkeit nie von Crashtests mit Pandababys erfährt

Wolfsburg (dpo) - Wenn Abgastests an Affen schon so viel Ärger machen, wie reagiert die Öffentlichkeit dann erst auf diesen Skandal? Im Vorstand von Volkswagen hofft man derzeit inständig, dass niemand jemals von den Hunderten Crashtests mit Pandababys erfährt, die der Konzern in den Jahren 1998 bis 2016 durchführen ließ.

»Hoffentlich kommt niemand von der Presse dahinter, dass wir fast 800 flauschige kleine Pandas mit dem Auto gegen die Wand gefahren haben«, seufzt ein Vorstandsmitglied, das die Panda-Crashtests damals mit in Auftrag gab. »Ich mein, wegen der vergasten Affen sind schon erste Köpfe gerollt.«

Bei den über Jahre durchgeführten Pandababy-Crashtests wurden unter anderem Airbags getestet:

Aber auch Tests ohne Airbags wurden durchführt:

Inzwischen ist die Angelegenheit der Konzernspitze eher unangenehm. Ein weiteres Vorstandsmitglied meldet sich zu Wort: »Warum noch gleich haben wir diese Tests überhaupt durchführen lassen? Ich weiß, dass ich dafür war, aber warum?«

»Wenn ich mich recht erinnere, war das, weil wir es können«, erklärte ein anderer VW-Boss. »Konnte ja niemand ahnen, dass das irgendwann mal Ärger gibt.«

Doch das soziale und politische Klima hat sich gewandelt. Crashtests mit Pandababys sind heute gesellschaftlich geächtet. Für den Vorstand von Volkswagen haben sich die routinemäßigen Versuche von einst in eine tickende PR-Zeitbombe verwandelt.

Das Ergebnis der Studie, demzufolge auf Menschen ausgerichtete Sicherheitsgurtsysteme und Airbags nicht zum Schutz von Pandababys geeignet sind, ist bis heute unveröffentlicht.

Waldorfschüler entsetzt über Grammatikfehler anderer tanzender Clubgäste

Berlin (dpo) - Haben die in Eurythmie denn gar nicht aufgepasst? Eigentlich hatte sich Tjark-Ludwig (18) auf seinen ersten Besuch in einer Diskothek gefreut. Doch schnell musste der Waldorfschüler frustriert feststellen, dass fast alle anderen Gäste von getanzter Grammatik offenbar keine Ahnung haben.

»Ich komme mir vor wie auf einem anderen Planeten«, erklärt Tjark-Ludwig nach einer Viertelstunde auf der Tanzfläche. »Erst hat mich ein Mädchen minutenlang mit ›Frefrefrefrefrefgugugugu‹ angetanzt. Ich dachte, die hat vielleicht einen Tanzfehler und braucht deshalb etwas länger, aber da kam einfach nichts Vernünftiges. Dann bat mich so ein Typ mit Afrofrisur, ich solle an der Bar ›Tonne Wachsmalkreiden blinzeln Schubkarre‹. Aber die haben so ein Getränk gar nicht. Ich habe den Eindruck, kaum etwas, was hier getanzt wird, ergibt wirklich Sinn.«

Nur wenige Clubbesucher schaffen es überhaupt, zusammenhängende Worte zu formulieren, kaum einer setzt Kommata richtig. »Ständig Dativ statt Genitiv und der korrekte Gebrauch des Semikolons ließ auch sehr zu wünschen übrig«, merkt Tjark-Ludwig an und schüttelt sich.

Schließlich hat der 18-Jährige genug. Er geht zu einem Türsteher und tanzt folgende Worte: »Hey, ist das hier ein Legastheniker-Treff?«

Offenbar legt Tjark-Ludwig damit den Finger in die Wunde: »Da hat der mich gepackt und vor die Tür gesetzt. Mir egal: Mit den Trotteln tanz ich nie wieder.«

L'abert ne rie s'en gros sès cheissé: Französisch-Dolmetscher entpuppt sich als Betrüger

Genau 12 Stück: Durex bringt Kondom-Jahrespackung für Ehepaare auf den Markt

Heidelberg (dpo) - Der bekannte Kondomhersteller Durex hat angekündigt, Kondome für verheiratete Paare künftig in einer maßgeschneiderten Vorratspackung zu vermarkten. Die zwölf darin enthaltenen Präservative sollen laut Hersteller nicht nur optimal schützen, sondern auch genau für ein Jahr Geschlechtsverkehr reichen.

Die einzelnen Kondome der »Marriage Edition« sind nach Monaten (Januar, Februar, März etc.) beschriftet.

»Man muss aber nicht zwangsweise immer ein Kondom pro Monat benutzen«, erklärt ein Sprecher von Durex Deutschland. »Das ist lediglich eine grobe Orientierung. Wie genau jedes Ehepaar seine Jahrespackung aufteilt, ist selbstverständlich eine sehr private und intime Entscheidung.«

So könne man die Kondome auch zu besonderen Ereignissen einsetzen, z. B. Valentinstag, zweimal Geburtstag, Jahrestag, Hochzeitstag, Urlaub, Weihnachten sowie vier riesige Streits mit Beinahetrennung und anschließendem Versöhnungssex. In diesem Beispiel bliebe sogar noch ein Bonuskondom für Spontansex übrig.

Bei den Präservativen der »Marriage Edition« handelt es sich um speziell auf ehelichen Sex ausgelegte Spezialanfertigungen. »Jedes Kondom kann mindestens fünf Minuten lang eingesetzt werden, ohne zu reißen«, so der Sprecher. »Das ist doppelt so lange wie statistisch nötig.«

Nicht nur deswegen halten Experten das Durex-Angebot für zu umfangreich. »Als hätte irgendwer so viel ehelichen Verkehr«, erklärt Sexualtherapeutin Gisela Melchram. »Verheiratete Menschen sind doch keine Karnickel. Realistischer wären vier Kondome sowie eine Tennissocke und ein Vibrator.«

»Wir werden alle Serben!« – Kroate neigt zum Dramatisieren

Parkland, Fairfax (dpo) - Nach dem jüngsten Amoklauf an einer Schule im US-Bundesstaat Florida mit 17 Toten könnten schon bald erste politische Konsequenzen folgen. Um derartige Unglücke künftig zu verhindern, hat die US-Waffenlobby NRA (National Rifle Association) ein landesweites Verbot von Schulen gefordert.

»Nach einer Tragödie wie in Parkland gibt es immer hysterische Stimmen, die Waffen regulieren oder gar verbieten wollen«, erklärt NRA-Chef Wayne LaPierre. »Doch unseren Erhebungen zufolge sind nicht Waffen die Hauptursache von Schulmassakern, sondern Schulen.«

So habe es allein im Jahr 2018 bereits 18 Schießereien an US-Schulen gegeben, während in der gesamten Geschichte der

Nach Tragödie in Parkland: US-Waffenlobby fordert Verbot von Schulen

Vereinigten Staaten noch nie ein Schulmassaker außerhalb einer Schule angerichtet worden ist.

»Wenn wir unsere Kinder schützen wollen, dann müssen wir diese schrecklichen Orte schließen und uns bis an die Zähne bewaffnet zu Hause mit ihnen verbarrikadieren«, so LaPierre. »Sie werden sehen: Sobald es keine Schulen mehr in den USA gibt, wird die Zahl der Amokläufe und Massenmorde an Schulen sehr schnell auf null fallen.«

Der Plan der NRA dürfte in Washington zahlreiche Unterstützer finden – schließlich sind Schulen mit Bildungsthemen wie Evolution, globaler Erwärmung, Geografie, menschlicher Reproduktion und anderer sozialistischer Propaganda vielen Republikanern schon lange ein Dorn im Auge.

Chefs von Stuttgart 21 und BER haben gigantische Wette am Laufen

Berlin, Stuttgart (dpo) - Das erklärt einiges: Wie der Postillon herausfand, haben die Deutsche Bahn und die Flughafengesellschaft BER eine gigantische Wette am Laufen. Gewonnen hat derjenige, dem es gelingt, für die Realisierung seines Bauvorhabens länger zu brauchen und mehr Steuergelder zu verschlingen als der andere.

»Derzeit haben wir wieder die Nase vorn«, freut sich Bahn-Vorstandschef Richard Lutz. »Mit einem auf das Jahr 2025 verschobenen Eröffnungstermin und veranschlagten Kosten von über 8 Milliarden Euro haben wir uns von der Konkurrenz in Berlin deutlich abgesetzt.«

Doch auch mit dem Hauptstadtflughafen BER ist noch zu rechnen. »Der derzeitige Eröffnungstermin im Herbst 2020 ist mehr als wacklig«, rechtfertigt sich BER-Chef Engelbert Lütke Daldrup bei einer Baustellenbegehung. »Außerdem muss man bedenken, dass die Bauarbeiten am BER vier Jahre früher begonnen haben. Wir liegen also nur ein Jahr hinten.«

Abgeschlossen wurde die Wette anonymen Quellen zufolge im Jahr 2012 am Rande eines Galadinners in Hamburg – kurz vor dem ersten Eröffnungstermin von BER. Beteiligt waren der damalige Flughafenchef Rainer Schwarz, der damalige Bahnchef Rüdiger Grube und der Chef der Elbphilharmonie Bau KG Dieter Peters.

Peters ist seit der Fertigstellung der Elbphilharmonie im Jahr 2016 offiziell aus dem Rennen, doch die Nachfolger von Schwarz und Grube liefern sich weiterhin ein erbittertes Duell um den Sieg.

Gerüchte, als Wetteinsatz sei ein hoher fünfstelliger Betrag vereinbart worden, weist Lütke Daldrup empört zurück. »Das ist doch völliger Schwachsinn! Das wäre moralisch höchst verwerflich, weil ja hier auch Steuergelder auf dem Spiel stehen. Wir haben selbstverständlich nur um die Ehre gewet- … oh nein! Jetzt bin ich gestolpert und habe diese Schubkarre hier umgeworfen. Ohjemine! Das wird den Bau um Monate verlängern! So ein Ärger!«

Erstmals breiter als lang: Mercedes stellt neuen SUV vor

Stuttgart (dpo) - Mercedes hat heute in Stuttgart die spektakuläre Geländelimousine GL Xtra wide vorgestellt. Das neueste Modell des Autoherstellers, das ab Mitte des Jahres erhältlich sein wird, gilt als erstes Sports Utility Vehicle, das breiter als lang ist. Laut Fahrzeugdesignern war dies nur eine Frage der Zeit.

Die Maße des Mercedes-Benz GL Xtra wide beeindrucken: Mit sagenhaften 5,75 Metern Breite und 5,22 Metern Länge lässt die imposante Erscheinung des Wagens keinen Zweifel, wer auf der Straße das Sagen hat. Dabei bietet der Xtra wide für zehn Personen Platz (fünf vorne, fünf hinten) – so können bis zu neun Kinder gleichzeitig zur Privatschule oder Kita gefahren werden.

Auch die weiteren Daten sind außergewöhnlich: Während sich der Benzinverbrauch mit 40,4 Litern pro 100 Kilometer (im Stadtverkehr 87,2 Liter) im Vergleich zu anderen SUV noch im Mittelfeld befindet, ist die Spitzengeschwindigkeit von 240 km/h für die Fahrzeuggröße schlicht sensationell.

Doch auch wer mit dem GL Xtra wide langsam fährt, wird wohl kaum überholt werden – da der Wagen im normalen Straßenverkehr mindestens zwei Spuren einnimmt, kommt so schnell keiner vorbei.

Weitere Features sind der obligatorische Allradantrieb zum Erklimmen besonders hoher Bordsteine, ein extra großer toter Winkel für Radfahrer sowie die vier Frontscheibenwischer.

Die größte Stärke des Ausnahme-SUVs ist am Ende auch sein größter Schwachpunkt: Die Suche nach geeigneten Parkplätzen dürfte sich für Fahrer des Xtra wide extraschwierig gestalten. Ein Sprecher von Mercedes beruhigt jedoch: »SUV-Fahrer können mit dem GL Xtra wide ganz einfach wie gewohnt auf Behindertenparkplätzen parken. Der einzige Unterschied ist, dass sie jetzt drei nebeneinander benötigen.«

Faxe Police: Autonomer soll Versicherungsschein senden

BVB geht kein Risiko mehr ein: Marco Reus spielt in Luftpolsterfolie eingewickelt

Dortmund (dpo) - Für Aufsehen sorgte heute bereits beim Aufwärmen Offensiv-Star Marco Reus: Wohl aufgrund seiner großen Verletzungsanfälligkeit lässt der BVB den 28-Jährigen künftig nur noch von Kopf bis Fuß in Luftpolsterfolie eingewickelt auflaufen.

»Marco ist einfach viel zu wertvoll für uns, um ihn ungeschützt in Zweikämpfe zu lassen«, erklärt Dortmunds Sportdirektor Michael Zorc. »Eine erneute Verletzung wäre für uns auch wirtschaftlich gesehen ein Albtraum.«

Gleichzeitig spielte Zorc die riesigen Erwartungen an Reus' Rückkehr herunter: »Er muss jetzt erst einmal lernen, sich ordentlich fortzubewegen. Rollend klappt das schon ganz gut, aber um den Ball zu kontrollieren muss er ja auch seine Füße einsetzen. Er muss noch hart trainieren, bis er wieder seine frühere Schnelligkeit erreicht.«

Kurze Zeit später musste Reus verletzt vom Feld getragen werden. Nach ersten Informationen hat er sich einen Syndesmose-Riss zugezogen, als ein Bläschen seiner Luftpolsterfolie platzte.

Spüren Sie die Kraft meiner Zehen!

Ich (52, männlich), heile Lippenherpes durch Fußauflegen*

Alle Infos auf Seite 243

*Im Fall einer Übertragung von Fuß- oder Nagelpilz übernimmt der Anbieter keinerlei Haftung

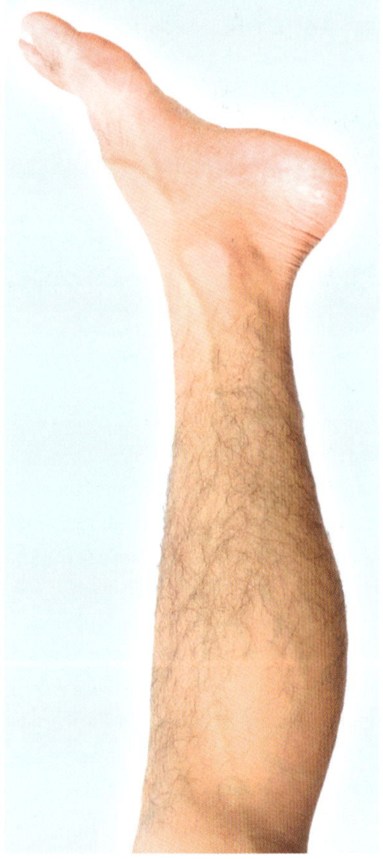

Gerade erst gepresst: Frau bekommt frischen O-Saft zwischen den Wehen

Deutsche Bank nimmt Kredit bei der Sparkasse auf, um Milliardenboni zahlen zu können

Frankfurt, Weilmünster (dpo) - Trotz eines Jahresverlustes in Höhe von rund einer halben Milliarde Euro will die Deutsche Bank Bonuszahlungen in Milliardenhöhe an ihre Mitarbeiter zahlen. Vorstandsvorsitzender John Cryan kündigte an, dafür einen Kredit bei der Sparkasse Weilmünster aufnehmen zu wollen.

Das dritte Jahr in Folge schreibt die Deutsche Bank rote Zahlen. Für Cryan allerdings kein Grund, auf die jährlichen Zusatzzahlungen zu verzichten: »Wir wollen unsere Mitarbeiter halten - also zumindest die aus dem Investmentbereich, nicht die Typen am Schalter, die wir gerade massenhaft entlassen – und das schaffen wir natürlich nur mit Geld.«

Da die Rücklagen der Deutschen Bank inzwischen durch zahlreiche Strafzahlungen aufgezehrt sind, muss Liquidität von außen hinzugeführt werden. Daher habe man bei zahlreichen Kreditinstituten in der Region Angebote für attraktive Darlehen eingeholt. »Wir sind überglücklich, verkünden zu dürfen, dass die Sparkasse Weilmünster mit insgesamt 940 Millionen Euro aushelfen wird«, so Cryan.

Der Deutsche-Bank-Chef weiter: »Die haben uns ein super Angebot gemacht, das wir nicht ablehnen konnten.« Demnach liege der Zinssatz für eine Kreditsumme von knapp zwei Milliarden Euro bei 14,51 Prozent. »Klar, ein einfacher Häuslebauer würde deutlich günstigere Konditionen erhalten, aber der hat ja auch eine höhere Kreditwürdigkeit als wir«, so Cryan. »Außerdem habe ich ein KNAX-Heft und einen Kugelschreiber bekommen. Gratis!«

Direkt nach Freilassung: Deniz Yücel verübt 7 Terroranschläge in Istanbul

Istanbul (dpo) - Die türkische Regierung hatte doch extra vor ihm gewarnt! Nur Stunden nach seiner Freilassung aus der türkischen Haftanstalt Silivri hat der Journalist Deniz Yücel nicht weniger als sieben Terroranschläge in Istanbul verübt. Zuvor war Yücel länger als ein Jahr inhaftiert gewesen – offenbar völlig zurecht, wie sich nun herausstellt.

»Verdammt nochmal, ich habe doch mehrfach darauf hingewiesen, dass dieser Mann ein Terrorist ist«, so der türkische Präsident Recep Erdogan auf einer Pressekonferenz. »Was meint ihr, warum wir ihn eingesperrt haben? Dachtet ihr, das war nur ein Vorwand, um eine politische Geisel zu haben? Merkel, Gabriel, an euren Händen klebt Blut!«

Wie die türkische Polizei mitteilte, gehen zahlreiche Gebäudesprengungen, ein Amoklauf und drei Geiselnahmen auf das Konto des gerade erst aus der Untersuchungshaft entlassenen Deutschen mit türkischen Wurzeln. Insgesamt gab es 382.596 Tote.

Wo sich Yücel derzeit aufhält, ist unbekannt. Vermutet wird allerdings, dass er längst auf dem Weg in die Kurdengebiete ist, von wo er gemeinsam mit Gülenisten und PKK einen blutigen Bürgerkrieg gegen die türkische Regierung führen wird.

Mann, der im Büro 8 Stunden auf Bildschirm gestarrt hat, entspannt sich durch 5 weitere Stunden Bildschirmstarren

Dortmund (dpo) - Endlich Feierabend! Michael Kresin (31), Verwaltungsfachangestellter aus Dortmund, kann es kaum erwarten, nach Hause zu kommen. Nachdem er im Büro gute acht Stunden auf den Bildschirm seines Computers gestarrt hat, freut er sich nun darauf, fünf weitere Stunden auf diverse Bildschirme zu starren.

»Ganz schön anstrengend, den ganzen Tag vor Excel-Tabellen zu hocken«, seufzt Michael Kresin, als er sich erschöpft auf sein Sofa fallen lässt. »Immer nur auf den Bildschirm starren. Das macht einen echt fertig. Jetzt schaue ich erstmal ein Weilchen fern, um etwas runterzukommen.«

Um ein wenig Abwechslung zu haben, nimmt sich Kresin anschließend seinen Laptop, um im Internet zu surfen. »Danach noch ein bisschen netflixen, vielleicht noch nen Kumpel anskypen und ne Runde PS4 zocken«, so Kresin.

Zuletzt geht es mit dem Smartphone ins Bett. »Da guck ich noch ein paar Po… Da check ich nochmal schnell mein WhatsApp und stell den Wecker für morgen.«

Danach kann Kresin beruhigt einschlafen. Er weiß, dass er wieder genug Kraft getankt hat, um am nächsten Tag erneut acht Stunden vor dem Bildschirm durchzustehen.

Trump will Waffen bewaffnen, damit sie sich dagegen wehren können, bei Amokläufen benutzt zu werden

Washington (dpo) - Nach dem jüngsten Amoklauf mit 17 Todesopfern an einer Schule in Florida diskutieren die USA erneut über politische Maßnahmen, um solche Katastrophen in Zukunft zu verhindern. Nun hat auch Donald Trump einen Lösungsvorschlag präsentiert: Der US-Präsident will Waffen bewaffnen lassen, damit sie sich künftig dagegen wehren können, von psychisch kranken Tätern in Amokläufen benutzt zu werden.

»Waffen sind die wahren Opfer von Amokläufen«, erklärte der Präsident bei einer Rede vor traumatisierten Schulkindern. »Denn sie sind den Tätern in der Regel völlig hilflos ausgeliefert und werden von ihnen zum Töten gezwungen.«

Die einzige Möglichkeit, um Amokläufe frühzeitig zu beenden, sei es daher, Waffen zu bewaffnen. »Sie können noch früher als etwa bewaffnete Sicherheitskräfte oder Lehrkräfte eingreifen und Schlimmeres verhindern, weil sie praktisch schon ab dem ersten Schuss vor Ort sind.« Trump kichert: »Stellen Sie sich einmal vor, wie dumm ein Amokläufer aus der Wäsche schaut, wenn seine eigene Waffe das Feuer auf ihn eröffnet.«

Auch auf Twitter warb der Präsident für sein Vorhaben:

Die Aktien mehrerer Waffenhersteller stiegen nach der Forderung des US-Präsidenten rasant. Kein Wunder – muss doch künftig jede hergestellte Waffe mit einer zusätzlichen Waffe bewaffnet werden.

Zudem tüfteln die Waffenproduzenten an einer entsprechenden Software, die eine Waffe erkennen lässt, wenn sie für einen Amoklauf missbraucht wird, und ihr mitteilt, ab wann sie auf ihren Schützen schießen darf.

Die Waffenlobby NRA begrüßte das Vorhaben des US-Präsidenten. »Wir unterstützen den Vorstoß von Donald Trump – nicht zuletzt, weil wir ihm gesagt haben, er solle das vorschlagen«, heißt es in einer Pressemitteilung.

Kurz nach der Erklärung der NRA versicherten sowohl Republikaner als auch weite Teile der Demokraten ihre Zustimmung, ein entsprechendes Gesetz zu verabschieden. Zusätzlich soll der zweite Zusatzartikel der amerikanischen Verfassung um einen Zusatzzusatzartikel erweitert werden, der Waffen das Recht Waffen zu tragen einräumt (»right of arms to bear arms«).

Gespräch mit Amoklauf-Überlebenden: Das stand auf der Rückseite von Trumps Spickzettel

Washington (dpo) - Die Aufregung im Internet war groß, als Bilder von einem Gespräch zwischen Donald Trump und Überlebenden des letzten Schulmassakers auftauchten, die einen Spickzettel des Präsidenten zeigten. Darauf: Anweisungen seiner Berater, wie Trump emotional reagieren soll (etwa »I hear you«).

Dem Postillon ist es dank eines Informanten mit Zugang zur Papiertonne des Weißen Hauses nun gelungen, auch die Rückseite des zerknüllten Zettels zu ergattern. Mithilfe modernster Entknüllungstechnik ist es uns gelungen, das Schriftstück wiederherzustellen, um es unseren Lesern nun exklusiv präsentieren zu können:

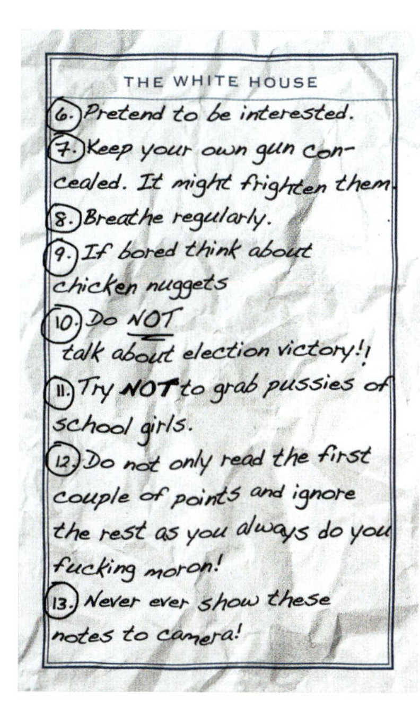
THE WHITE HOUSE

6. Pretend to be interested.
7. Keep your own gun concealed. It might frighten them.
8. Breathe regularly.
9. If bored think about chicken nuggets
10. Do NOT talk about election victory!!
11. Try NOT to grab pussies of school girls.
12. Do not only read the first couple of points and ignore the rest as you always do you fucking moron!
13. Never ever show these notes to camera!

Psychologen warnen: Kostenloser Nahverkehr würde Tausende sadistisch veranlagte Ticketkontrolleure auf Gesellschaft loslassen

Berlin (dpo) - Seit bekannt wurde, dass die Bundesregierung entsprechende Pläne erwägt, diskutiert Deutschland über kostenlosen Nahverkehr. Nun schaltet sich der Berufsverband Deutscher Psychologinnen und Psychologen (BDP) in die Debatte ein und schlägt Alarm. Eine Abschaffung der Fahrpreise würde Tausende sadistisch veranlagte Ex-Fahrscheinkontrolleure auf die Allgemeinheit loslassen, so die Befürchtung.

»Bislang wurde viel über die Kosten solch eines Projekts gesprochen, aber kaum über die gesellschaftlichen Auswirkungen«, erklärt die Psychologin Eva Bartholmei. »Denken Sie an die zigtausenden Kontrolleure, die arbeitslos werden und dadurch ihre sadistischen Neigungen von einem Tag auf den anderen nicht mehr ausleben können. Wenn sie sich nicht mehr an Schwarzfahrern abreagieren können, suchen sie sich höchstwahrscheinlich andere Opfer.«

Mögliche Folgen könnten ein massiver bundesweiter Anstieg von kleinlichen Nachbarschaftsstreitigkeiten, plattgestochenen Reifen, Tierquälerei und bis zum Anschlag aufgedrehter Volksmusik sein.

»Wir reden hier immerhin von Individuen, denen es eine kranke Freude bereitet, urplötzlich eine U-Bahn oder einen Bus zu betreten und dann erbarmungslos Leuten nachzustellen, die bewusst oder versehentlich kein Ticket mit sich führen«, so Bartholmei. »Selbst Fahrgästen, die ihr Ticket ehrlich erworben haben, jagen diese Menschen einen Schauer über den Rücken.«

»Kein Fahrschein? Das macht 60 Euro. MUHAHAHAHAHA!« – Was machen diese Menschen, wenn sie keinen Job mehr haben?

Die Entlassung aller Fahrscheinkontrolleure würde sich wiederum negativ auf die Laune ihrer gequälten Mitmenschen auswirken, was langfristig gar zu Ausschreitungen, Plünderungen und Bürgerkrieg führen kann.

Um eine solche Katastrophe abzuwenden, müsse die Politik dafür Sorge tragen, dass die ehemaligen Kontrolleure schnellstmöglich in Berufe wie Politesse, Zahnarzt, Schiffschaukelbremser, Domina oder Ordnungsamtsmitarbeiter wechseln können, die ihrem sadistischen Naturell entsprechen.

Bingen am Rhein: Rheinland-Pfälzer bevorzugen Alternative zum Googeln

DHL will Pakete nur noch nachts zustellen, weil Empfänger dann garantiert zu Hause sind

Berlin (dpo) - Paketzustellung in den Auto-Kofferraum, per Drohne oder Roboter: Die Paket-Dienstleister versuchen auf vielfältige Weise, ihre Logistik zu verbessern. Einen neuen Weg will jetzt DHL gehen: Bereits ab dem kommenden Wochenende sollen Pakete nur noch nachts zwischen 0 und 5 Uhr ausgeliefert werden – so soll sichergestellt werden, dass die Empfänger garantiert zu Hause sind.

»Erfahrungsgemäß halten sich 50 Prozent der Empfänger tagsüber nicht in ihrer Wohnung auf, weitere 40 Prozent hören die Klingel nicht, weil sie gerade unter der Dusche stehen«, erklärt ein DHL-Sprecher. »Und wenn dann ein gelber Zettel im Briefkasten liegt, herrscht Frust.«

Zudem stünden die Lieferfahrzeuge am Tag häufig im Stau oder blockieren selbst die Fahrbahn, indem sie in zweiter Reihe halten. »Nachts sind die Straßen frei. Niemand wird behindert.«

Selbstverständlich werde man die Tatsache berücksichtigen, dass manche Menschen einen tieferen Schlaf haben: »Unsere Mitarbeiter werden angehalten, mindestens eine halbe Minute Sturm zu klingeln. Da dürfte auch der schläfrigste Online-Shopper wach werden.«

Mit dem neuen Lieferkonzept will DHL aber nicht nur den Kundenservice verbessern, sondern auch der Kritik an den schlechten Arbeitsbedingungen in der Branche begegnen. »Natürlich denken wir an unsere Mitarbeiter«, beteuert der DHL-Sprecher: »Viele Paketboten klagen über eine unzureichende Bezahlung. Wenn unsere Zusteller zukünftig nachts fahren, haben sie den ganzen Tag über Freizeit und können sich bei Hermes oder DPD locker noch etwas dazu verdienen.«

Was man nicht alles im Kopf haben muss: Gehirnchirurg vergisst, Augen wieder einzusetzen

RATGEBER

7 geniale Tricks, um ein Diesel-Fahrverbot zu umgehen

Das Bundesverwaltungsgericht hat entschieden: Städte haben künftig das Recht, zur Luftreinhaltung Fahrverbote für Diesel-Fahrzeuge zu verhängen. Besitzer eines Diesels müssen dennoch nicht verzweifeln: Hier sind sieben geniale Tricks, mit denen Sie ein Fahrverbot spielend leicht umgehen können.

1. Schieben

Diesel-Fahrverbote gelten nur bei angelassenem Motor. Gewiefte Zeitgenossen nutzen diese Gesetzeslücke und schieben ihr Auto einfach in den entsprechenden Verbotszonen mit eigener Kraft getreu dem Motto: »Wer seinen Diesel liebt, der schiebt.«

Mit Kraft-Ausdrücken fertig geworden: Mann quetscht fluchend letzten Rest aus Ketchup-Flasche

2. Abgase ins Innere des Autos leiten und erst später rauslassen

Nur wenn Ihr Auto Abgase ausstößt, verstößt es auch gegen das Diesel-Fahrverbot. Wer seine Abgase per Schlauch oder andere Vorrichtungen ins Auto leitet und erst nach Verlassen der Verbotszone wieder durch das Fenster nach draußen lässt, ist safe.

3. Dick EURO NORM 6 aufs Auto pinseln

Gerade in der Anfangszeit ist davon auszugehen, dass die Behörden nicht genau wissen, woran man einen sauberen, vom Fahrverbot ausgenommenen Diesel der Euro Norm 6 erkennt. Wer auf sein Auto groß EURO NORM 6 pinselt, dürfte daher jeglichen Verdacht, einen alten Diesel (Euro Norm 3-5) zu fahren, von sich lenken – zum Beispiel auf eines der vielen Autos, auf denen nicht groß EURO NORM 6 steht.

4. Sich mit einem Abschleppseil unbemerkt an andere Fahrzeuge hängen

Es kann so simpel sein: Nach einem Fahrzeug Ausschau halten, das in die richtige Richtung fährt, Abschleppseil dranhängen, blitzschnell ins eigene Auto einsteigen, auskuppeln und bei abgeschaltetem Motor gemütlich ziehen lassen. Sollte das ziehende Fahrzeug falsch abbiegen, abkoppeln, wieder von vorne beginnen und solange wiederholen, bis man am Ziel ist. Dass diese Technik auch noch Sprit spart, müssen wir eigentlich gar nicht mehr erwähnen.

5. Einfach Benzin statt Diesel tanken

Wer seinen Diesel ordentlich leerfährt und anschließend einfach herkömmliches Benzin tankt, kann von den Behörden ebenfalls nicht belangt werden. Ist doch klar!

6. Sperren durchbrechen und sich wilde Verfolgungsjagd mit der Polizei liefern

Wer richtig hardcore ist, hat selbstverständlich immer die Möglichkeit, sämtliche Diesel-Verbotsschilder und Kontrollen mit hoher Geschwindigkeit zu überfahren, sich eine wilde Verfolgungsjagd mit der Polizei zu liefern, über eine improvisierte Rampe in ein vollverglastes Hochhaus zu springen und sich anschließend, nach einer wilden Fahrt durch einen Gemüsemarkt, von der Polizei rammen und erschießen zu lassen. Klar, das macht man nur einmal, aber das ist es wert.

7. Irgendein x-beliebiges anderes Gefährt nutzen

Ein kleines, nur wenigen bekanntes Schlupfloch ermöglicht es, das Diesel-Fahrverbot zu umgehen, indem man sich einfach mit dem Bus, der Bahn, einem Benziner, einem Fahrrad, einem Tandem, einem Hochrad, einem Mofa, einer Kutsche, einem Motorrad, einem Tretroller, einem Skateboard oder einem anderen beliebigen Gefährt (Ausnahme: Diesel!) fortbewegt. Genial, oder?

Neiße-Region: Teenager von Flusslandschaft begeistert

Für mehr Spannung: Formel 1 führt Gegenverkehr ein

London (dpo) - Leisere Motoren, immer weniger Überholmanöver, Abschaffung der »Boxenluder« – zuletzt gab es Kritik, dass die Formel 1 immer mehr an Charakter verliert. Nun steuert die FIA dagegen und kündigt eine spannende Neuerung für die kommende Saison an: Künftig soll es bei allen Rennen Gegenverkehr geben. Erreicht wird dies, indem die Hälfte des Teilnehmerfeldes in die entgegengesetzte Richtung startet.

»Die Weltmeisterschaft 2018 wird so actionreich und spannend wie schon lange nicht mehr«, verspricht Formel-1-Chef Chase Carey. »Wir werden mehr gewagte Manöver, Crashs und Beinahe-Crashs sehen als je zuvor.«

Zwar wird in unterschiedliche Richtungen gestartet, an der zu absolvierenden Rundenzahl ändert sich jedoch nichts. Jeder Fahrer muss seine anfängliche Fahrtrichtung bis zum Ende des Rennens beibehalten.

Grundsätzlich sollen dabei nach Möglichkeit lokale Verkehrsregeln beachtet werden: Beim Großen Preis von Australien oder Großbritannien herrscht beispielsweise Linksverkehr, am Hockenheimring oder in Monza hingegen Rechtsverkehr.

TV-Zuschauern soll ein zusätzlicher Splitscreen-Kanal angeboten werden, der beide Spitzengruppen gleichzeitig anzeigt.

Experten vermuten, dass bei Formel-1-Rennen mit Gegenverkehr vor allem die erste Runde als Highlight gilt. So könne die halbe Runde nach dem Start noch hemmungslos gerast werden, bis sich die führenden beider Richtungen erstmals begegnen.

»Beim sogenannten First-Half-Round-Crash trennt sich dann die Spreu vom Weizen«, so Formel-1-Kommentator Gerd Rellbach. »Den Begriff kennen jetzt die meisten noch nicht, aber sie werden ihn bald kennen.«

Zudem sei im weiteren Rennverlauf damit zu rechnen, dass es immer wieder zu »Mutproben« zwischen entgegenkommenden Fahrern kommen wird, die beide nicht von der Ideallinie abweichen wollen.

Mehrere Rennställe haben bereits die Zahl ihrer Reservefahrer aufgestockt, um erwartbare Ausfälle zu kompensieren.

Geht mit seinem Riesenschnauzer spazieren: Hundebesitzer wird für seinen Oberlippenbart bestaunt

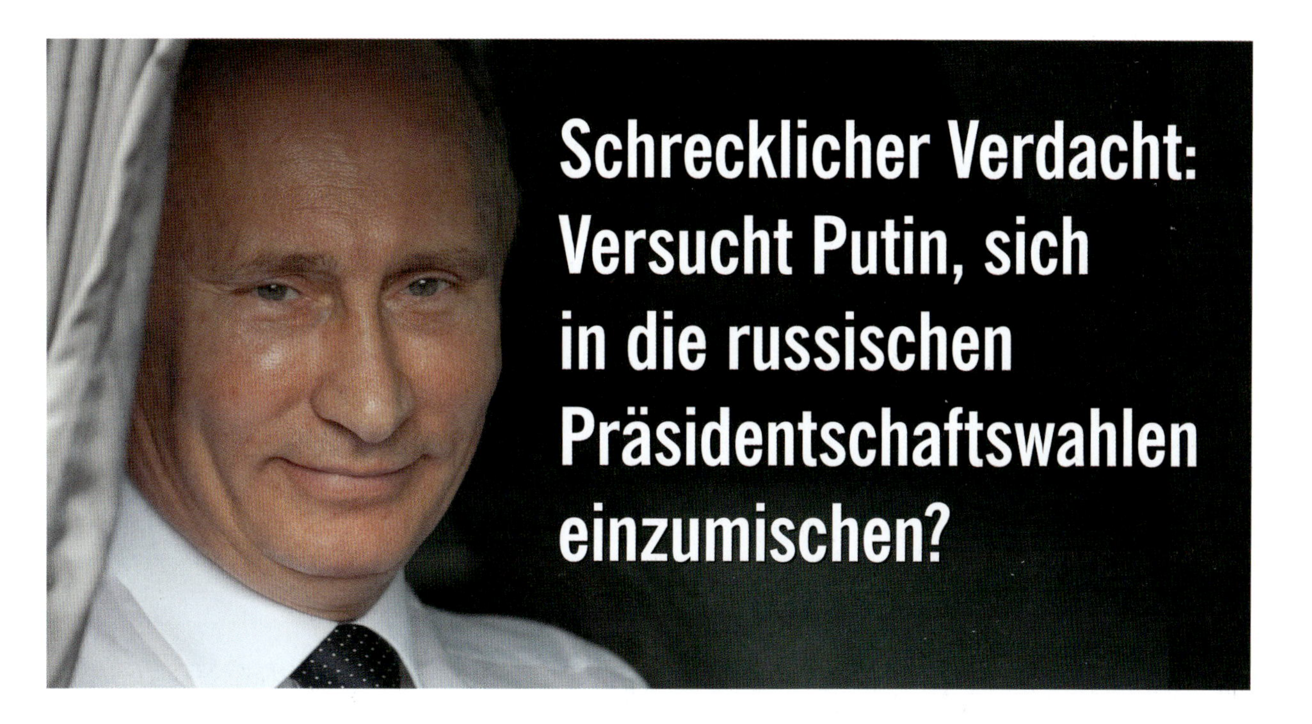

Schrecklicher Verdacht: Versucht Putin, sich in die russischen Präsidentschaftswahlen einzumischen?

Moskau (dpo) - Am Sonntag, den 18. März 2018, wählt Russland einen neuen Präsidenten. Doch inzwischen befürchten Experten Manipulationen, wie sie auch schon in den USA, Deutschland oder Frankreich auftraten. Der schreckliche Verdacht: Versucht Wladimir Putin, sich in die Wahlen am 18. März einzumischen?

»Es wäre nicht das erste Mal, dass Putin seinen Machtbereich mit fragwürdigen Methoden ausdehnen will«, erklärt ein Sprecher der NATO, die die Wahlen mit großer Sorge beobachtet. »Russland steht in einer langen Reihe von Ländern, deren Innenpolitik Putin zu seinen Gunsten zu beeinflussen versucht.«

Allerdings geht der 65-Jährige diesmal offenbar deutlich unverhohlener vor als bisher: So hat Putin persönlich in Auftritten und Videos seine Unterstützung für einen der Kandidaten, einen gewissen Владимир Владимирович Путин, öffentlich gemacht – zum Teil gibt es sogar Plakate, auf denen mit Putins Gesicht geworben wird.

»Diesmal treibt er es ohne Zweifel auf die Spitze«, stellt der Londoner Politikexperte Ian Bromwich fest. »Wir vermuten, dass Putin mit Millionenbeträgen in diesen Wahlkampf involviert ist. Wir reden hier nicht mehr von Hacker-Angriffen und Facebook-Manipulationen, sondern von einer Kampagne mit offenem Visier, mit großflächigen Anzeigen in Zeitungen, Online-Bannern und professionell gestalteten Webseiten wie putin2018.ru!«

Putins Engagement in Russland kommt nicht von ungefähr: Das Land verfügt über reiche Rohstoffvorkommen und ist die zweitgrößte Atommacht der Welt. Gelänge es Putin, hier seinen Einfluss zu stärken – die Folgen für den Rest der Welt wären dramatisch.

In der Luft zerrissen: Kritiker schreibt vernichtende Rezension über Papierflieger

Grippewelle besiegt, weil Frau homöopathischen Hustensaft weggekippt hat

Hagen (dpo) - Im Alleingang hat eine Frau aus Hagen Deutschland von der heftigsten Grippewelle seit Jahren befreit. Die 52-Jährige kippte am Montagmorgen versehentlich ein homöopathisches Mittel gegen Husten in den Ausguss. Nachdem das Medikament ins Grundwasser gelangte, sind nahezu alle von der Grippe betroffenen Personen in Deutschland innerhalb weniger Stunden genesen.

»Ich fand das Fläschchen am Freitag in meinem Medizinschränkchen – leider ohne Aufschrift«, erinnert sich Gudrun Müller. »Da habe ich das Zeug lieber weggeschüttet.« Erst kurz danach sei ihr wieder eingefallen, dass es sich dabei um ein homöopathisches Mittel gegen Husten handelte.

Doch da war das Mittel bereits über die örtliche Kläranlage ins Grundwasser geraten.

Warum daraufhin nahezu alle Grippe-Kranken binnen kürzester Zeit geheilt wurden, kann Homöopathie-Experte Samuel Hühnermann erklären: »Durch die Verschüttelung in den Rohrsystemen der Kanalisation und die Verdünnung von D24 ($1:10^{24}$) ist das eigentlich nur zur Linderung leichter Beschwerden gedachte Medikament um ein Vielfaches wirkmächtiger geworden und hat alle geheilt, die in den letzten Tagen auch nur einen Tropfen Leitungswasser zu sich genommen haben. So funktioniert Homöopathie.«

Zwar erfreuen sich durch das Ausgießen des homöopathischen Mittels jetzt alle vormals Kranken wieder bester Gesundheit, doch die Wunderheilung hat ihren Preis: Der Homöopath, der Gudrun Müllers Arznei herstellte, fordert nun gemäß der Preistabelle für homöopathische Medikamente 53 Milliarden Euro nach.

Ihre Schusseligkeit beendete die Grippewelle in Deutschland: Gudrun Müller aus Hagen

»Ab jetzt weht hier ein anderer Wind!«: Neuer Chef furzt in Ventilator

Washington (dpo) - Am Weißen Haus wird umgebaut. Aufgrund des enormen Verschleißes an hochrangigen Mitarbeitern durch die Trump-Administration wurde der alte, noch aus der Lincoln-Ära stammende Eingang durch eine moderne Drehtür ersetzt. Damit soll es möglich sein, dass auch größere Mengen an frisch entlassenen Mitarbeitern zur gleichen Zeit das Gebäude verlassen können, während ähnlich viel neu angeworbenes Personal hereinströmen kann.

Weißes Haus bekommt Drehtür, damit Personal schneller gefeuert und eingestellt werden kann

»Wir mussten leider feststellen, dass es immer wieder zu Staus an der Tür kam«, erklärte ein Sprecher des Weißen Hauses, der erst vor zwei Tagen eingestellt wurde und voraussichtlich zum Ende des Monats aus seinem Job ausscheiden wird. »Die war wie ein Nadelöhr.«

Zu Beginn von Trumps Präsidentschaft, als etwa Deputy Chief Katie Walsh oder Sicherheitsberater Michael Flynn gehen mussten, habe es noch keine größeren Probleme gegeben, doch als dann Angella Reid, Walter Shaub, Michael Dubke, Sean Spicer, Michael Short, Reince Priebus und Anthony Scaramucci in schneller Folge geschasst wurden, während gleichzeitig neues Personal hereinströmte, begann es, sich immer mehr zu stauen.

Zum Teil warteten noch immer Leute wie Stephen Bannon, Sebastian Gorka, Tom Price und Rob Porter im Foyer, die bereits vor Wochen und Monaten Trumps Team verlassen mussten. Andere wie etwa die in dieser Woche zurückgetretenen Hope Hicks und Gary Cohn verließen das Weiße Haus durch ein Fenster. Omarosa Manigault soll gar versucht haben, sich ins Freie zu graben.

Die Drehtür soll nun helfen, die »Hire&Fire-Abläufe« des Weißen Hauses zu optimieren. Sie war zuvor an der Grand Central Station in New York installiert und ist speziell auf hohen Publikumsverkehr ausgelegt.

Brillanter Autofahrer löst 19 Kilometer langen Stau auf, indem er hupt

Braunschweig (dpo) - Durch sein beherztes Eingreifen hat ein Mann aus Braunschweig heute morgen einen 19 Kilometer langen Stau innerhalb von Sekunden aufgelöst: Während andere Fahrer ratlos hintereinander standen, hupte Andreas Rieck (28) einmal kräftig und gestikulierte wild, woraufhin sich der Stau sofort auflöste.

»Gut, dass der Mann mitgedacht hat«, erinnert sich später ein Lkw-Fahrer, der sich auf dem gleichen Streckenabschnitt auf der A 2 zwischen Hämelerwald und Braunschweig-Watenbüttel befand. »Da ging nix mehr. Und plötzlich kommt der und hat den rettenden Einfall!«

Erst durch den lang gezogenen Signalton sei den Insassen der rund 8000 involvierten Fahrzeuge mit einem Mal ins Bewusstsein gerufen worden, dass sie ja eigentlich fahren sollten, anstatt dumm in der Gegend herumzustehen. Nur Sekunden später begann der Verkehr dank der Geistesgegenwart des 28-Jährigen wieder zu fließen.

Wie wichtig Menschen wie Andreas Rieck sind, zeigt auch die Statistik. Verkehrsexperten schätzen, dass rund 90 Prozent der Staus auf deutschen Autobahnen dadurch entstehen, dass keiner mal hupt.

Der Held von der A 2 gibt sich selbst bescheiden: »Ich bin einfach nur froh, dass ich in solchen Situationen immer gleich Bescheid gebe, dass ich es eilig habe«, erklärt der Versicherungsvertreter, der sich gerade auf dem Weg zu einem wichtigen Termin befand. »Es kann ja ganz schön lästig sein, wenn sich auf einmal nichts mehr bewegt und man als Einziger wichtige Pläne hat, die keinen Aufschub dulden.«

Für Rieck ist es nicht das erste Mal, dass er im Alltag mit beherztem Eingreifen lästige Probleme löst. Erst am Wochenende brachte er in der Braunschweiger Innenstadt eine Ampel dazu, auf grün zu schalten, indem er mit den Fingern nervös auf das Lenkrad tippte und den Motor immer wieder laut aufheulen ließ.

Wären viel seltener, wenn öfter mal gehupt würde: Staus

Mann, der 15.311 Euro im Monat vom Staat bezieht, weiß, dass Hartz-IV-Empfänger nicht hungern müssen

Berlin (dpo) - Armut in Deutschland – darüber wird derzeit viel diskutiert. Nun meldet sich einer zu Wort, der Ahnung hat: Jens S. aus Berlin muss selbst mit gerade einmal 15.311 Euro pro Monat über die Runden kommen. Daher weiß er genau, dass der Hartz-IV-Regelsatz alles bietet, was ein Mensch zum Leben braucht.

»Niemand müsste in Deutschland hungern, wenn es die Tafeln nicht gäbe«, so S., der seit seinem 22. Lebensjahr ebenfalls Geld vom Staat bekommt, gegenüber der *Berliner Morgenpost*. Mit Hartz IV habe »jeder das, was er zum Leben braucht«.

Jens S. weiß genau, wovon er spricht: Schließlich greift auch ihm der Staat unter die Arme, bis er wieder richtige Arbeit findet. Demnächst erhält er beispielsweise monatlich das 36,8-fache eines alleinstehenden Hartz-IV-Empfängers – so hat er durch einfaches Kopfrechnen immer ein genaues Bild von den finanziellen Möglichkeiten eines Arbeitslosen.

»Die Tafeln tragen dafür Sorge, dass Lebensmittel nicht weggeworfen werden«, erklärte der 37-Jährige außerdem, woraus sich schließen lässt, dass Hartz-IV-Empfänger vor allem wegen des köstlichen Essens, der netten Unterhaltungen und wegen des lauschigen Ambientes dort hingehen.

»Hartz IV bedeutet nicht Armut«, betont S. »Mehr wäre immer besser. Aber wir dürfen nicht vergessen, dass andere über ihre Steuern diese Leistungen bezahlen«, so der Mann, dessen Bezüge zu 100 Prozent über die Steuern anderer bezahlt werden.

Hamburg (dpo) - Es fehlte noch der elfte Mann, nun ist das Team endlich komplett. Mit der Entlassung von Bernd Hollerbach beim HSV können die ehemaligen HSV-Trainer aus den vergangenen zehn Jahren ihre eigene Fußballmannschaft komplettieren. Gründer und Kapitän Huub Stevens freut sich auf das erste Spiel des EHSVT (Entlassene HSV Trainer).

»Wir haben schon ungeduldig auf den Bernd gewartet, damit wir unser Team endlich offiziell anmelden können«, so Stevens heute Vormittag. Stolz zeigt er das brandneue Vereinsheim seines Teams. »Das haben wir locker aus unseren Abfindungen bezahlt.«

Endlich elf zusammen: Entlassene HSV-Trainer gründen eigene Fußballmannschaft

Huub Stevens war von Februar 2007 bis Juni 2008 Trainer beim Hamburger SV. Mit 514 Tagen war er länger in Hamburg beschäftigt als die meisten seiner neuen Vereinskameraden.

Die Idee, eine eigene Mannschaft mit den entlassenen Trainern des Vereins zu gründen, kam ihm vor drei Jahren, als mit Josef Zinnbauer bereits der siebte seiner Nachfolger gefeuert wurde.

Mit der heute bekannt gewordenen Entlassung Hollerbachs ist die Mannschaft nun komplett und kann sich offiziell als Verein eintragen lassen. Das Team soll EHSVT heißen (Entlassene HSV Trainer) und besteht in der Stammbesetzung aus Huub Stevens, Martin Jol, Armin Veh, Michael Oenning, Thorsten Fink, Bert van Marwijk, Mirko Slomka, Josef Zinnbauer, Bruno Labbadia, Markus Gisdol und seit heute Bernd Hollerbach.

Zudem stehen zahlreiche Interimstrainer als Ergänzungsspieler bereit.

Nun fehlt noch ein Trainer. Der EHSVT hofft auf ein großes Kaliber. »Unser Wunschkandidat wäre natürlich der nächste HSV-Trainer«, so Fink. Bis dahin werde man im Wechsel das Training leiten. »In rund drei bis vier Wochen kann dann der Neue übernehmen!«

Selbsttest im Restaurant: Jens Spahn beweist, dass man von 416 Euro Hartz IV locker satt wird

Berlin (dpo) - Für seine Äußerungen über Armut in Deutschland wurde Jens Spahn heftig kritisiert – jetzt hat der künftige Gesundheitsminister in einem Berliner Restaurant den Beweis geliefert, dass eine Person von einem Hartz-IV-Regelsatz für Alleinstehende sehr wohl ohne Probleme satt werden kann. Der CDU-Politiker hofft, seine Kritiker damit endlich zum Schweigen gebracht zu haben.

»Puh, die Crème brûlée am Ende war vielleicht doch zu viel, aber es ging ja auch darum, ob man von Hartz IV wirklich richtig satt werden kann«, seufzt Jens Spahn. »Und ich bin jetzt wirklich pappsatt.«

Er stößt dezent auf, lockert seinen Gürtel und studiert dann seine Rechnung. »Sehen Sie? 293,11 Euro, dazu 36,89 Euro Trinkgeld: Macht 330 Euro. Da bleiben mir sogar noch 86 Euro übrig von meinem 416-Euro-Regelsatz.«

Warum einige Hartz-IV-Empfänger zum Essen statt Nobelrestaurants lieber heruntergekommene Tafeln aufsuchen, kann Spahn nach seinem Experiment nicht nachvollziehen. »Hier kriegst du Trüffelravioli, Rotbarbenfilet, Milchlammrücken – zum Niederknien! Wieso sollte man dann in einer Schlange irgendwo anstehen für ein paar abgelaufene Aldi-Spaghetti? Die sind schon irgendwie knausrig, diese Hartz-IV-Empfänger.«

Zur Verdauung gönnt sich Jens Spahn von den verbleibenden 86 Euro noch eine kubanische Zigarre und ein Gläschen 32 Jahre alten Whisky.

Danach will er sein Hartz-IV-Experiment beenden. »Ich muss schon zugeben, dass ich mich darauf freue, wenn ich nicht mehr so aufs Geld schauen muss«, so Spahn.

Giftanschlag von Salisbury: Britische Polizei findet Putins Ausweis am Tatort

Salisbury (dpo) - Nun dürften auch die letzten Zweifel an der Täterschaft Russlands bei der Vergiftung des russischen Ex-Spions Sergei Skripal ausgeräumt sein. Wie die britische Regierung heute mitteilte, wurde der Ausweis des russischen Präsidenten Wladimir Putin am Tatort in Salisbury entdeckt.

Laut der britischen Premierministerin Theresa May wurde der Ausweis erst jetzt bei einer erneuten Untersuchung des Tatorts gefunden, weil er unter einem Laubblatt lag.

»Russland hat jetzt 24 Stunden Zeit, Wladimir Putin auszuliefern, damit er in London befragt werden kann«, heißt es in einer Stellungnahme der britischen Regierung. »Andernfalls werten wir das als Schuldeingeständnis.«

Nach Dusche mit Freundin: Mann mit schweren Verbrennungen ins Krankenhaus eingeliefert

Berlin (dpo) - Ein Mann aus Berlin ist am Wochenende mit schweren Hautverletzungen in die Charité eingeliefert worden. Zugezogen hatte er sich die Verbrühungen beim Duschen mit seiner Freundin. Diese hatte das Wasser nach eigenen Angaben »gerade mal lauwarm« eingestellt, als ihr Freund schreiend aus der Dusche sprang und schließlich auf dem Badezimmerfußboden zusammenbrach.

»Wir mussten den Mann mehrere Tage in ein künstliches Koma legen, sonst hätte sein Organismus womöglich vor Schmerzen aufgegeben«, berichtet der zuständige Arzt. »Als er hier ankam, war er rot wie ein Hummer. So etwas habe ich bislang nur einmal bei einem Vulkanologen gesehen, der in einen Lavastrom gefallen war.«

Der 28-jährige Patient Niklas B., der mittlerweile wieder bei Bewusstsein ist, versucht trotz Schock den Hergang des Unfalls zu rekonstruieren: »Als ich ins Bad kam, war Tina schon unter der Dusche und fragte, ob ich mit rein will«, berichtet er. »Wir haben davor noch nie zusammen geduscht, aber das ist ja sicher romantisch und so, dachte ich.«

Doch nur Sekundenbruchteile, nachdem er die Dusche betritt, merkt Niklas B., dass etwas nicht stimmt. »Ich fühlte plötzlich einen unglaublichen Schmerz«, erinnert er sich. »Das war das heißeste, was ich je in meinem Leben gespürt habe.«

Mit letzter Kraft springt Niklas B. aus der Dusche. Dann wird er bewusstlos, während ihn seine Freundin nur verständnislos ansieht. Sie duscht fertig und alarmiert erst anschließend den Notdienst. Die Folgen für Niklas: großflächige Verbrühungen zweiten Grades am gesamten Körper, Shampoo in den Augen und ein Kreislaufschock.

Laut einer aktuellen, von einer männlichen Forschungsgruppe durchgeführten Studie duschen Männer im Schnitt bei 35 Grad, Frauen bei ca. 200 Grad. Dem widersprechen aktuelle, von Frauen durchgeführte Messungen, denenzufolge Frauen bei etwa 40 Grad duschen, Männer hingegen bei -10 Grad Celsius.

Auf Anraten seines Anwalts hat Niklas B. nun ein Verfahren wegen versuchten Mordes in die Wege geleitet. Das Paar lebt und duscht mittlerweile getrennt.

Diverse: Achill auf die Frage nach seinen Wehwehchen

Heimlich beim Sex gefilmt: Löwenpärchen verklagt Dokumentarfilmer

London (dpo) - In London begann heute der Prozess gegen den bekannten britischen Naturfotografen und Kameramann Herbert Brunston. Ein Löwenpärchen aus Tansania bezichtigt den 46-Jährigen, die beiden im Jahr 2014 im Serengeti-Nationalpark heimlich beim Geschlechtsakt gefilmt zu haben. Die Sexszene war daraufhin in mehreren Ländern in einschlägigen TV-Kanälen ausgestrahlt und auf DVD vertrieben worden.

230.000 englische Pfund – so viel Schadensersatz verlangt das Raubkatzenpaar von dem Kameramann, der den beiden systematisch aufgelauert haben soll. »Um nicht erkannt zu werden, hat sich Herr Brunston gut getarnt in einem Gebüsch versteckt«, so der Anwalt der beiden Kläger.

Als Beweis legte er die Tierdokumentation *Lions in the Wild* vor, in der Brunston kurz vor der pikanten Szene wörtlich erklärte: »Um nicht erkannt zu werden, habe ich mich gut getarnt in einem Gebüsch versteckt.«

Eine Einverständniserklärung habe sich der Brite nicht eingeholt, bevor er den Geschlechtsverkehr der beiden Löwen mit seiner Kamera aufnahm. Tatsächlich erfuhren die beiden Raubtiere erst Jahre später über einen Bekannten, dass sie heimlich gefilmt wurden.

Brunston selbst erklärte in einer ersten Stellungnahme, er habe lediglich das natürliche Verhalten von Löwen dokumentieren wollen – eine Behauptung, die für wütendes Gebrüll vonseiten der Kläger sorgte.

»Na toll!«, kommentierte der Anwalt des Löwenpärchens spöttisch, als wieder Ruhe im Saal hergestellt war. »Mit der Begründung kann er gleich von Haus zu Haus gehen und in jedes Schlafzimmer reinfilmen.«

Noch gibt es keine Entscheidung in dem Fall, doch für Brunston sieht es nicht gut aus. Immerhin handelt es sich bei ihm um einen einschlägig bekannten Wiederholungstäter: Wie Filmdokumente belegen, lauerte er bereits 2005 mehreren Hirschkäferpärchen beim Sex auf und filmte 2009 eine nackte Nilpferddame beim Baden.

Brunston bei der »Arbeit«

Kassenpatient kuriert Grippe vollständig im Wartezimmer aus

Magdeburg (dpo) - Die Grippewelle hat Deutschland fest im Griff – Patienten jammern, Ärzte stöhnen, Wartezimmer sind hoffnungslos überfüllt. Doch ein Mann aus Magdeburg hatte nun Glück im Unglück: Während er darauf wartete, von seinem Hausarzt untersucht zu werden, genas er vollständig und konnte die Praxis als gesunder Mensch verlassen.

»Ich konnte es selbst kaum glauben«, erzählt Werner Olszewski, dem man die überstandene Grippe überhaupt nicht mehr ansieht. »Am Anfang war es natürlich die Hölle«, so der 34-Jährige weiter: »Ich kam rein, war total am Ende und bekam nicht mal einen Sitzplatz, so überfüllt war der Laden!«

Nach etwa anderthalb Stunden sei dann aber endlich ein Stuhl frei geworden. »Auf den habe ich mich gesetzt und ein wenig in der einzigen freien Lesezirkel-Zeitschrift, einer abgenutzten *inTouch* von 2013 geblättert. Irgendwann muss ich dann aber eingeschlafen sein. Kein Wunder – immerhin hatte ich starkes Fieber.« Die *inTouch* nutzte er als Decke gegen den Schüttelfrost.

Als Olszewski wieder zu sich kam, war er natürlich immer noch nicht gesund. Er hustete und schniefte wie die vielen anderen um ihn herum. Nach und nach betraten neue Patienten den Raum. »Aber da waren es vielleicht noch zwei oder drei Gesichter, von denen ich wusste, dass sie vor mir an der Reihe waren. Ich hatte es also fast geschafft.« Die *inTouch*-Ausgabe Nr. 02/2013 kannte er zu diesem Zeitpunkt bereits auswendig. »Ich bin jetzt absoluter Experte, was den Streit zwischen Rafael van der Vaart, Sylvie Meis und Sabia Boulahrouz angeht.«

Als er schließlich von der Sprechstundenhilfe aufgerufen wurde, reckte sich Olszewski noch einmal und spürte, dass die Gliederschmerzen verschwunden waren.

»Da ist mir ein lautes ›Huch!‹ entfahren«, erinnert sich der Kassenpatient. Dabei habe er gemerkt, dass auch sein Hals beim Sprechen gar nicht mehr wehtat. Der Husten war weg, die Nase frei. »Kurzum: Ich war geheilt!«, freut sich Olszewski, der seine Geschichte für einen klaren Beweis der Funktionalität des deutschen Gesundheitssystems hält. »Und das alles ohne Medikamente und Nebenwirkungen!«

Ganz glücklich ist er mit seinem Praxisbesuch dennoch nicht: Als er den Arzt um eine Krankschreibung für die drei Tage bat, die er im Wartezimmer verbracht hatte, wurde er von dem Mediziner mit den Worten »Ihnen fehlt nichts, Sie sind gesund!« abgewimmelt.

Geld reicht vorne und hinten nicht: Sozialhilfeempfängerin kann sich weder Busen-OP noch Po-Lifting leisten

Symbolfoto: Echte Redaktion zu hässlich zum Zeigen

Satiriker scheitern kläglich daran, Witz darüber zu machen, dass Olaf Scholz einen Goldman-Sachs-Investmentbanker ins Finanzministerium holt

Fürth (dpo) - Ein Redaktionsraum voller Satiriker ist kläglich daran gescheitert, einen guten Witz-Artikel darüber zu verfassen, dass Olaf Scholz (SPD) mit Jörg Kukies einen Investmentbanker von Goldman Sachs als Staatssekretär ins Bundesfinanzministerium beruft. Einen Nachmittag lang versuchten die Berufshumoristen, die Nachricht auf satirische Weise zu überspitzen oder auf andere Art pointiert darzustellen – vergeblich.

»Olaf Scholz stellt Einbrecher als Wachmann ein – wie wäre das?«, fragt ein Redakteur in die Runde. »Nee, wir hatten schon was mit Bock und Gärtner, als Theresa May Boris Johnson als Außenminister holte«, antwortet der Chefredakteur mürrisch.

»SPD inzwischen offenbar alles Wurscht« – »Zu ehrlich.«

»›Wir haben einen im Finanzministerium!‹: Ausschweifende Party in Goldman-Sachs-Zentrale« – schon 2015 bei Pofalla gemacht, das käme wie ein mieser Abklatsch«, antwortet der Chefredakteur, während er schon wieder einen Bleistift in der Mitte durchbricht.

»Aber irgendwas muss da doch gehen, oder?«, stöhnt ein weiterer erschöpfter Redakteur und liest von seinem Notizblock ab: »Olaf Scholz »Joa, schon nah dran, aber das isses noch nicht.«

»Olaf Scholz vergibt restliche noch offene Posten an Darth Vader, Sauron und Voldemort« – »Och nee, das kommt mir irgendwie alt vor.«

»Rekordübernahme: Goldman Sachs schluckt Bundesfinanzministerium« – »Nicht witzig genug, Alex.«

»Wie wäre es denn, wenn wir einfach die Wahrheit vermelden?«, so einer der Redakteure nach seiner siebten Tassen Kaffee. »Nein! Das haben wir

sichert sich Koks-Vorrat auf Lebenszeit? Nee, das merk ich schon selbst, dass das scheiße ist.«

Eine Redakteurin, die bislang noch nichts gesagt hat, räuspert sich: »›Huch!‹: Von Olaf Scholz ins Finanzministerium geholter Goldman-Sachs-Investmentbänker hat komplette Steuereinnahmen von 2018 auf die Erdnussernte in Brasilien gesetzt und verloren« – »Ist das die Schlagzeile oder schon der ganze Artikel? Bisschen zu lang, oder?«

»Das Problem ist doch, dass die Nachricht an sich so absurd ist, dass man sie eigentlich gar nicht mehr überspitzen kann«, wendet ein Redakteur ein, was der Chefredakteur wirsch abbügelt: »Da muss es was geben. Außerdem regt das Thema die Leute sicher mindestens so auf wie die Spahn-Geschichte. Ich sag nur Klicks, Klicks, Klicks! Also weiterüberlegen!«

»Finanzminister Scholz verlegt neuen Amtssitz in Deutsche-Bank-Zentrale« – »Püh, na ja. Eher nicht.«

»Bürger erleichtert, dass ihre Steuergelder künftig in Händen von Investmentbanker liegen« – »Nee. Das fordert zu viel Hintergrundwissen. Ihr wisst doch, wie dumm unsere Leser sind.«

»Kleiner Timmy (9) …« – »Nee.«

»SPD-Anhänger kann sich gar nicht erinnern, dass er Goldman Sachs ins Finanzministerium gewählt hat« – »Hmja, vielleicht, bisher am besten, aber irgendwie knallt das auch noch nicht richtig.«

»Olaf Scholz: ›MUAHAHAHAHAHAHA! Ich habe einen Goldman-Sachs-Chef ins Finanzministerium geholt und niemand kann dagegen etwas machen!‹« – »Ist das jetzt ein Vorschlag oder ein echtes Zitat?«

Schließlich schlägt ein entkräfteter Redakteur vor: »Und was, wenn wir einfach unsere kläglichen Bemühungen aufschreiben? Schlagzeile irgendwie: Satiriker scheitern kläglich daran, Witz darüber zu machen, dass Olaf Scholz einen Goldman-Sachs-Investmentbanker ins Finanzministerium holt oder so. Das macht doch auch irgendwie den Punkt, dass das krass ist, oder?« »Puh«, so der Chefredakteur und blickt auf die Uhr. »Auch nicht so wirklich toll, aber es ist schon fast 5 Uhr und mein köstliches Gulasch wird kalt. Insofern: Schreibt's schnell runter. Praktikant! Schal, Mütze und Mantel! Zack zack!«

Nach Kritik an reinem Männerteam: Horst Seehofer stellt weibliche Putzkraft ein

Berlin (dpo) - Er hat sich die Kritik zu Herzen genommen: Nach Aufregung über die rein männliche Besetzung der Führungsriege des Innen- und Heimatministeriums hat Horst Seehofer (CSU) heute die Einstellung einer weiblichen Putzkraft bekannt gegeben. Die 29-jährige Eugenia Griese soll künftig im wichtigen Bereich Raumpflege schalten und walten.

»Frau Griese wird bei uns in der Führungsetage die Büros sauberhalten, damit wir uns im Heimatministerium auch wirklich zu Hause fühlen«, so Seehofer. »Sie ist damit wichtiger Bestandteil der Führungsspitze. Die CSU stand schon immer für Frauen-Power!«

Eugenia Griese selbst stand für ein Statement nicht zur Verfügung, da sie nicht sprechen darf, sofern es ihr Horst Seehofer nicht ausdrücklich erlaubt hat.

Wurde gestreckt: Dealer für Verkauf von schlechtem Koks gefoltert

HSV feuert Fans

Hamburg (dpo) - Nach 14 Spielen ohne Sieg zieht der HSV die Reißleine: Wie der Verein mitteilte, werden sämtliche Fans des Hamburger Sportvereins mit sofortiger Wirkung von ihren Aufgaben freigestellt. Grund seien die schlechten Anfeuerleistungen und Disziplinlosigkeiten der letzten Wochen. Bis zum Ende der Saison sollen Interimsfans übernehmen.

»18 Punkte aus 27 Spielen: Das ist viel zu wenig. Da konnten wir nicht länger tatenlos zusehen«, erklärt HSV-Präsident Bernd Hoffmann. »Man hat gemerkt, dass die Chemie zwischen Publikum und Mannschaft in letzter Zeit einfach nicht mehr stimmte.«

Schon beim nächsten Spiel in Stuttgart sollen daher als Interimsfans 200 Anhänger des SV West-Eimsbüttel (Kreisliga 2 Hamburg) im Gästeblock sitzen. Diese wurden kurzfristig angeworben und sollen den HSV bis Ende der Saison anfeuern.

Die Vereinsführung hofft durch diese Maßnahme auf frischen Wind im Spiel der Hamburger, hält aber zugleich die Erwartungen tief: »Ein Auswärtssieg zum Auftakt wäre natürlich toll, aber wir werten alles ohne üble Beleidigungen und Todesdrohungen als Erfolg.«

Die Reaktionen der HSV-Fans angesichts ihres Rauswurfs sind alles andere als einheitlich. Sie reichen von »Das ist so undankbar. Ich habe diesen Verein 40 Jahre lang angefeuert und jetzt sowas!« über »Na toll, jetzt muss ich wieder eine Domina bezahlen, wenn ich am Wochenende leiden will« bis hin zu »Soll mir recht sein. Ich wollte eh den Verein wechseln. So bekomme ich wenigstens noch eine Abfindung.«

Spätestens zu Beginn der nächsten Saison soll eine Dauerlösung gefunden werden. »Wir sind in Gesprächen mit den Fans des VfL Wolfsburg, SV Sandhausen und 1. FC Kaiserslautern«, so Hoffmann. Zuvor gab es bereits Absagen von Anhängern des FC St. Pauli und Werder Bremens.

Er trank: Alkoholiker fällt in Pool

Frisch geschlüpftes männliches Küken findet: »Kükenschreddern gehört verbo...zzzrx«

Bonn (dpo) - Wieder einmal wird in Deutschland über die umstrittene Praxis des millionenfachen Schredderns männlicher Küken diskutiert. Ein soeben auf einer Legehennengroßfarm in der Nähe von Bonn frisch geschlüpfter Junghahn hat dazu eine klare Meinung.

»Kükenschreddern gehört verbo...zzzrx«, so das flauschige kleine Vögelchen, während es über die Kante seines Laufbandes in eine Häckselmaschine fällt. Ein etwas später geschlüpftes Küken nimmt den Faden auf und erklärt: »Was mein Bruder sagen wollte, war: Wir haben ja auch ein Recht auf ... Krzkrzz«

Das nächste Küken führt den Gedanken weiter aus: »Jährlich werden in Deutschland 45 Millionen von uns auf diese Weise ... srtzftz«

Ähnlich sieht es das Küken dahinter: »Es ist ein Unding, dass das Leben eines Hahns weniger ... krzzz«

Sein Nachfolger meint: »Mir ist das Thema eigentlich relativ ega... zrxxxz«

Das Küken danach kommt wieder auf das Thema Kükenschreddern zurück. »Ständig wird versprochen, endlich mal was zu ändern, aber nix pa... frrrrrzk«

»Und bis endlich irgendwann was passiert, geht das hier einfach wei... kstzrk«

»Weiter und weiter und weiter un... krzzzrk«

»Kaum ist man auf der Welt und scho... rzkrkx«

»Wenn das hier Katzenbabies oder Welpen wä... krkrkrkrkrt«

»45 Millionen mal im Ja...fazrkk«

»Anderthalb geschredderte Küken pro Seku... zxkzkkk«

»In manchen Geflügelfabriken werden wir auch mit CO_2 verga... frzkzz«

»Warum essen Menschen trotzdem noch Ei... frtzkwx«

»Landwirtschaftsminister Christian Schmidt hat eigentlich verspro... zwrxk«

Zrrxk, krrzk, frzrkx, rzkzfzk, zrkzzz, frzkz...

»Na, wo soll's denn dieses Jahr hinken?«: Orthopäde fragt Eltern von Klumpfuß-Kind nach Urlaubsziel

Für dicke Kinder: Adventskalender jetzt auch mit Gemüsefüllung

Villeneuve-d'Ascq (dpo) - Die Vorfreude steigt: Pünktlich zur Weihnachtszeit bringt die französische Firma Bonduelle einen Adventskalender ohne süße Dickmacher auf den Markt. Stattdessen verbergen sich hinter den Türchen knackige Gemüsestückchen, darunter Karotten, Erbsen, Linsen sowie eine große grüne Überraschung hinter Tür 24.

Der Gemüsekalender richtet sich speziell an die Eltern übergewichtiger Kinder, die ihre Sprösslinge gesund durch die Adventszeit bringen wollen.

»Unsere Tests haben ergeben, dass sich Kinder über den Gemüse-Adventskalender genauso freuen wie über einen herkömmlichen«, erklärt Unternehmenssprecher Michel Lacoeur. »Zugegeben: Nachdem sie die ersten Türchen geöffnet haben, lässt die Euphorie beim einen oder anderen Kind ein klein wenig nach, aber dafür ist der Inhalt so richtig gesund!«

Und abwechslungsreich: Hinter Tür 1 wartet eine Mini-Karotte, hinter Tür 2 leckerer Broccoli. Hinter Tür 3 befindet sich ein Stück Kohlrabi, hinter Tür 4 verbirgt sich ein Stück Paprika. Mehr will der Hersteller noch nicht verraten. »Aber wer weiß«, sagt Unternehmenssprecher Michel Lacoeur mit einem Augenzwinkern. »Vielleicht finden die kleinen Schleckermäuler hinter Tor 24 zur Feier des Tages ja sogar ein Stück Obst.«

Der neue Kalender hat offenbar das Zeug zum echten Weihnachts-Hit: Viele Testkinder fanden den Inhalt der Türen »so toll«, dass sie ihn lieber ins Regal stellten, als ihn direkt wegzunaschen – als Erinnerung an ihr »super Geschenk«.

Nicht dicht gehalten: Seniorenheimbewohner verpetzt inkontinenten Zimmernachbarn

Trump hin- und hergerissen, ob er Affäre mit Pornostar abstreiten oder damit prahlen soll

Washington (dpo) - Dank Stormy Daniels befindet sich Donald Trump derzeit in einer echten Zwickmühle: Der US-Präsident ist hin- und hergerissen, ob er seine Affäre mit dem Porno-Star abstreiten oder damit angeben soll.

»Ich meine: Klar, alle meine Berater sagen mir natürlich, dass ich das abstreiten oder zumindest nicht kommentieren sollte«, überlegt Trump, während er seine Optionen abwägt. »Auf der anderen Seite hatte ich meinen Penis in einem echten Pornostar mit riesigen Brüsten. Das muss doch jeder wissen und neidlos anerkennen, dass das verdammt nochmal großartig ist!«

Der Präsident sinniert weiter: »Auf der einen Seite eine furchtbare Demütigung für meine Frau, die damals gerade unseren Sohn zur Welt gebracht hat, auf der anderen Seite die Bestätigung, dass mein Penis in einem echten Pornostar mit riesigen Brüsten war. Auf der einen Seite eine große Gefahr für die Würde meines Amtes, auf der anderen Seite die Bestätigung, dass mein Penis in einem echten Pornostar mit riesigen Brüsten war.«

Trump hält inne: »Hmm … Oder geht vielleicht gar beides?«

Kurz darauf twitterte Trump:

Sachschaden von 100 Euro: Einbrecher räumen komplette Primark-Filiale aus

Düsseldorf (dpo) - Einbrecher haben letzte Nacht in Düsseldorf groß zugeschlagen. Die unbekannten Täter räumten die Primark-Filiale in der Schadowstraße innerhalb weniger Stunden bis auf das letzte T-Shirt aus. Auch die Kasse mit den Tageseinnahmen ließen die Kriminellen mitgehen. Der Gesamtschaden beläuft sich laut Polizei auf fast 100 Euro.

Als Verkäuferin Maja Gerber heute Morgen die Tür zur Filiale aufschloss, staunte sie nicht schlecht: Die vier Etagen mit über 5000 Quadratmetern Verkaufsfläche waren ebenso wie das Lager komplett leergeräumt, das gesamte Sortiment an Jacken, Pullovern, T-Shirts, Stiefeln, Hosen, BHs, Unterwäsche, Hauspantoffeln und Einwegsocken verschwunden.

Die Diebe waren nachts eingestiegen und haben offenbar tonnenweise Textilien entwendet. Die Beute muss mit mehreren Lkws abtransportiert worden sein, vermutet die Polizei. »Diese Menge müssen Sie sich mal vor Augen führen«, klagt Maja Gerber. So viel kaufe ein Primark-Kunde sonst in einem ganzen Monat ein.

Auch in der Unternehmensleitung der Bekleidungskette ist man schockiert. »Diese Verbrecher haben keine Ethik. Die nehmen auf nichts und niemanden Rücksicht, denen ist nichts heilig. Die wollen nur eines: Das schnelle Geld«, so ein Primark-Sprecher. Die 100 Euro Verlust treffen die Kette hart – immerhin handelt es sich dabei um 5 Prozent des Jahresumsatzes der Firma. »Da muss 'ne alte Frau in Bangladesch lange für stricken. Und ihre Enkelkinder auch«, so der Sprecher.

Große Hoffnung, dass die Gesetzeshüter den Einbruch aufklären und die Beute zurückbringen, hat man bei Primark nicht. Die Erfahrung zeige, dass die Kleidungsstücke irgendwo in Osteuropa landen, wo sie von Privatpersonen als billiger Brennstoff eingekauft und im Kamin verfeuert werden.

Wenigstens die Kleiderbügel (Gesamtwert: 200 Euro) haben die Einbrecher zurückgelassen.

Vorbereitung auf Winter: Deutsche Bahn lässt testweise Züge ersatzlos streichen

Berlin (dpo) - In diesem Jahr soll alles glatt laufen: Um ihren Betrieb optimal auf die kalte Jahreszeit vorzubereiten, lässt die Deutsche Bahn ab heute regelmäßig ausgewählte Züge auf wichtigen Strecken ersatzlos streichen. Hintergrund der Aktion ist die Vorbereitung auf die im Winter bevorstehenden Zugausfälle.

»Bahn-Kunden erwarten, dass auch im Winter alles reibungslos klappt«, erklärt eine Sprecherin der Bahn. »Deshalb streichen wir schon jetzt Züge, damit das Bahnhofs- und Zugpersonal den Umgang mit wütenden Kunden und überfüllten Ersatzzügen trainieren kann.«

Betroffen von der Notfallübung sind Strecken, die im vergangenen Winter besonders stark unter Eis und Schnee gelitten haben, darunter ICE-Trassen wie Hamburg–Berlin und Frankfurt am Main–Stuttgart sowie diverse Regionalbahnstrecken. Insgesamt sollen 2000 Züge ausfallen.

»Hauptziel der Testläufe ist es, herauszufinden, wie lange Passagiere auf ihren Zug warten können, bevor erste Revolten ausbrechen, und ob sich die Wartenden auch mit wässrigem Kaffee als Entschädigung zufriedengeben«, so die Sprecherin weiter. Ebenfalls getestet werde, ob »witterungsbedingt« oder »Weichenstörung« nach wie vor die besten Ausreden für Ausfälle und Verspätungen sind, oder ob man sich andere Ausflüchte (z. B. Reifenpanne, vereiste Windschutzscheibe, Schneeflocke auf dem Gleis) überlegen muss.

Die Bahn sieht in den Tests auch einen großen Vorteil für die Reisenden. »Wir setzen darauf, dass sich unsere Fahrgäste jetzt schonmal ordentlich aufregen«, verrät die Sprecherin. »Dann sind sie hoffentlich im Winter nicht mehr so überrascht und wütend, wenn ein Zugausfall nach dem anderen kommt.«

Ein leeres Gleis. Das soll auch im Winter klappen.

Vergeltung für völkerrechtswidrige Angriffe auf Syrien: China bombardiert USA, Großbritannien und Frankreich

Washington, London, Paris (dpo) - Dieses Verhalten kann Peking nicht ungestraft lassen: Nach den völkerrechtswidrigen Vergeltungsschlägen von USA, Großbritannien und Frankreich gegen Syrien hat das chinesische Militär heute mehrere militärische Ziele in den USA, Großbritannien und Frankreich bombardiert. Dabei gab es mehrere Verletzte in den drei Ländern.

Der chinesische Staatspräsident Xi Jinping rechtfertigte heute bei einer Pressekonferenz den zunächst zeitlich begrenzten Angriff: »Bei unseren heutigen Präzisionsschlägen gegen Radarstationen, Raketenstellungen und Militärflughäfen der drei Länder geht es vor allem darum, zu zeigen, dass völkerrechtswidrige Angriffe auf andere Staaten Konsequenzen haben.«

Xi Jinping weiter: »Damit sollen auch andere Länder davon abgeschreckt werden, ohne UN-Mandat und internationale Untersuchung Weltpolizei zu spielen.«

Zur Frage, ob die groß angelegte Vergeltungsaktion nicht völkerrechtswidrig sei, wollte sich die chinesische Regierung nicht äußern. »Wir mussten handeln, damit sich dieses gesetzlose Verhalten nicht wiederholt. Wir sind außerdem darauf vorbereitet, diese Antwort fortzusetzen, bis die drei Regierungen völkerrechtswidrige Strafaktionen gegen andere Staaten beenden.«

Insgesamt feuerten chinesische Kriegsschiffe über 100 Raketen ab. Zeitgleich drangen Chengdu J20-Kampfjets in die jeweiligen Lufträume ein und warfen Bomben ab, die beispielsweise auf diesem Militärflughafen der britischen Royal Airforce einschlugen:

Bundeskanzlerin Angela Merkel, die zuvor eine Beteiligung Deutschlands an der Bombardierung der USA, Großbritanniens und Frankreichs ausgeschlossen hatte, lobte China für seinen entschlossenen Einsatz.

Die peruanische Regierung hat jedoch inzwischen angekündigt, als Strafe für die völkerrechtswidrige Bestrafung der USA, Großbritanniens und Frankreichs durch China für die völkerrechtswidrige Bestrafung Syriens durch die USA, Großbritannien und Frankreich für den mutmaßlichen Giftgasangriff in Duma durch Syrien nun ausgewählte militärische Ziele innerhalb Chinas zu bombardieren.

Erst nach 7 Kilometern auf der Autobahn bemerkt: Familie vergisst Auto auf Raststätte

Irschenberg (dpo) - Es ist der Alptraum jedes Autobesitzers: Eine Familie aus Nürnberg hat auf ihrer Rückreise von einem Ausflug in Österreich ihr Auto auf einer Autobahnraststätte vergessen. Das Ehepaar und seine zwei Kinder bemerkten den Verlust erst, nachdem sie bereits sieben Kilometer zu Fuß unterwegs waren.

Und so kam es zu dem Versehen: In Irschenberg nahe Rosenheim legte die vierköpfige Reisegesellschaft, die die freien Tage über Ostern für einen Kurzurlaub nutzte, eine kurze Rast ein. Während Frau und Tochter die Toilette aufsuchten, ging der Vater mit seinem Sohn in die Tankstelle, um sich mit Getränken und Snacks einzudecken.

Wenige Minuten später traf sich die Familie vor den Toiletten und setzte die Heimreise fort – jedoch ohne ihr Auto, das auf dem Rasthof zurückblieb.

Knapp sieben Kilometer legten die vier auf der A8 in Richtung Nürnberg zurück, bis sie ihr Versehen bemerkten. »Unterwegs wunderte ich mich schon, dass wir dauernd angehupt wurden«, berichtet Vater Henrik Conradi. Bemerkt wurde das Fehlen des Autos erst, nachdem es anfing zu regnen und seine Tochter ihn bat, das Schiebedach zu schließen. »Da fiel es uns wie Schuppen von den Augen.«

Um zu ihrem Wagen zu gelangen, müssen die vier Conradis anschließend noch sechs Kilometer bis zur nächsten Ausfahrt zurücklegen, bevor sie zum Rasthof zurückkehren können.

Als sie ihren Audi endlich wieder in die Arme schließen können, ist Vater Henrik überglücklich. »Mir fällt ein Stein vom Herzen! Aber so richtig entspannen kann ich mich erst, wenn Karin, die drei Kinder und ich endlich wohlbehalten zu Hause sind.«

»Wie geil ist das denn!«: Teenager entdeckt im Supermarkt Gemüse, das aussieht wie ein Emoji

Hannover (dpo) - Was für eine geniale Geschäftsidee! Die 15-jährige Anna-Lisa Behrend aus Hannover hat heute im Supermarkt ein Gemüse gefunden, das exakt aussieht wie ein bekanntes Emoji. Nur vom Geschmack ist die Schülerin noch nicht ganz überzeugt.

»Abgefahren, dass es jetzt schon Emoji-Gemüse zu kaufen gibt«, erklärt Anna-Lisa, während sie die unter dem Namen »Aubergine« angebotene Feldfrucht in der Hand hält. »Ich schwöre, das ist echt genau das Emoji, das mir mein Freund immer schickt mit so Wassertropfen, wenn er will, dass ich zu ihm rüberkomme. Der wird dumm schauen, wenn ich ihm das zeige.«

Einzig der Geschmack des lilafarbenen Gemüses lässt zu wünschen übrig. »Igitt! Das schmeckt ja total bitter und ekelhaft«, so Anna-Lisa, nachdem sie einen Bissen probiert hat. »Und das soll eine Trendfrucht sein? Vielleicht gewöhne ich mich dran, wenn ich mehr davon esse.«

Nachdem sie das halbe Emoji gegessen hat, hält sie kurz inne. »Ey, ich hab grad eine geniale Idee! Hoffentlich bringen die bald auch das Tränenlach-Emoji als Gemüse! Aber mit Erdbeergeschmack. Das wär so geil!«

Rund 20 Minuten später lässt sich Anna-Lisa mit heftigen Bauchschmerzen von ihrer Mutter zum Arzt bringen.

Für besonders empfindliche Haut: Nivea bringt Mondcreme auf den Markt

Hamburg (dpo) - Nachtschwärmer müssen nicht länger nach schattigen Plätzen suchen: Die Kosmetikmarke Nivea hat heute eine Mondcreme vorgestellt, mit der sich Menschen mit besonders empfindlicher Haut auch nachts vor UV-Strahlung schützen können.

»Viele Menschen, die sich ein Mondbad gönnen, denken gar nicht darüber nach, dass es sich bei Mondlicht um reflektiertes Sonnenlicht handelt«, so ein Sprecher von Nivea. »Wer seine Haut dem Mond schutzlos aussetzt, geht bewusst Risiken ein, denn bereits ab 20 Stunden ununterbrochenen Mondscheins ist mit Hautrötungen bis hin zu Mondbrand zu rechnen.«

Die neue »Nivea Mondmilch Schutz & Pflege« soll schon in den nächsten Tagen für jeden Hauttyp mit Mondschutzfaktor 0,001-1,87 erhältlich sein. Insbesondere Menschen mit keltischem Hauttyp (Hauttyp 1), der sich durch sehr helle, empfindliche Haut auszeichnet, sollen das Produkt laut Hersteller regelmäßig nutzen – allen anderen Hauttypen wird die Creme zumindest bei Vollmond empfohlen.

Für eine Branche dürfte das neue Produkt allerdings kein Grund zur Freude sein: Experten rechnen damit, dass die Verkäufe von Mondschirmen in den nächsten Monaten stark einbrechen werden.

Söder nach Kruzifix-Fototermin mit schweren Verbrennungen an den Händen behandelt

München (dpo) - Große Sorge um den bayerischen Landesvater: Nach seinem Fototermin zur Vorstellung der Pläne, in bayerischen Behörden Kreuze aufzuhängen, ist Markus Söder mit schweren Verbrennungen an den Händen ins Krankenhaus eingeliefert worden.

Zeugen, die bei dem Fototermin anwesend waren, erklärten, dass Söder das Kreuz maximal zwei Sekunden lang anfassen konnte, bevor seine Hände Feuer fingen.

»Etz knips scho! Ich halt des nimmer aus«, soll Söder zwischen den Zähnen hervorgepresst haben. Sofort danach warf er das Holzkreuz auf den Boden und schüttelte seine Hände. »Das war des letzte Mal, dass ich so a Mistding angfasst hab.«

Anschließend musste sich Söder ambulant in einer nahegelegenen Klinik behandeln lassen, während die Grafik-Abteilung seines Social-Media-Teams den Rauch und die glühenden Hände retuschierte und anschließend auf Twitter veröffentlichte:

Markus Söder
@Markus_Soeder

Klares Bekenntnis zu unserer bayerischen Identität und christlichen Werten. Haben heute im Kabinett beschlossen, dass in jeder staatlichen Behörde ab dem 1. Juni ein Kreuz hängen soll. Habe direkt nach der Sitzung ein Kreuz im Eingangsbereich der Staatskanzlei aufgehängt.

15:15 - 24. Apr. 2018

2.306 3.234 Nutzer sprechen darüber

Klares Bekenntnis zu unserer bayerischen Identität und christlichen Werten. Haben heute im Kabinett beschlossen, dass in jeder staatlichen Behörde ab dem 1. Juni ein Kreuz hängen soll. Habe direkt nach der Sitzung ein Kreuz im Eingangsbereich der Staatskanzlei aufgehängt. pic.twitter.com/o99M0dV4Uy

— Markus Söder (@Markus_Soeder) 24. April 2018

Nur Rechtsverteidiger in der Mannschaft: Juristen verlieren Fußballspiel gegen Staatsanwälte

Söder: Bayerische Behörden müssen künftig Grundgesetz als Fußabtreter benutzen

München (dpo) - Der neue Ministerpräsident Bayerns macht Nägel mit Köpfen. Nach der Entscheidung, dass ab dem 1. Juni 2018 in jeder bayerischen Behörde ein Kreuz hängen muss, kommt nun der nächste Beschluss aus München: Als Zeichen der bayerischen Identität soll künftig vor allen Behörden ein Exemplar des Deutschen Grundgesetzes als Fußabtreter fungieren.

»In Bayern hat es schon lange Tradition, das Grundgesetz mit Füßen zu treten, etwa wenn es um das Supergrundrecht Sicherheit, das Recht auf Asyl oder um Religion geht«, erklärte Söder, der sich dabei fotografieren ließ, während er vor der bayerischen Staatskanzlei seine schmutzigen Schuhe an einem Grundgesetz sauber streift.

Aufgeschlagen sein soll das Grundgesetz standardmäßig auf Artikel 140. Dieser regelt unter anderem die Trennung von Kirche und Staat (»Es besteht keine Staatskirche.«).

KREUZWORTRÄTSEL

Lösung aus dem letzten Buch:
Keschintoranfer

RATGEBER

7 geniale Tricks,

Jeder kennt diese Situation: Alles ist supi, aber plötzlich marschieren Palästinenser auf, die Ihren schönen Grenzzaun nicht akzeptieren wollen. Klar, als erster Gedanke kommt einem da Abknallen in den Sinn. Aber muss es immer gleich tödliche Gewalt sein? Hier sind 7 simple Tricks, wie man Palästinenser davon abhält, einen Zaun zu attackieren, ohne sie gleich umzubringen:

1. Wasserwerfer

Wasserwerfer sind Großfahrzeuge, die gewaltbereite Demonstranten mit einem hochkonzentrierten Wasserstrahl außer Gefecht setzen können. Wasserwerfer sind dabei nicht ungefährlich, wie etwa einige Stuttgart-21-Demonstranten vor ein paar Jahren schmerzlich erfahren mussten, aber sie sind definitiv deutlich ungefährlicher als eine Gewehrkugel! Außerdem helfen sie, die karge Flora im Grenzgebiet etwas zu bewässern.

2. Tränengas

Der Einsatz von Tränengas ist ein drastisches Mittel, um Menschenmengen auseinanderzutreiben und trifft so gut wie immer auch Unbeteiligte. Dennoch leben die meisten Menschen weiter, nachdem sie Tränengas ausgesetzt wurden. Somit ist Tränengas besonders praktisch, wenn man nicht für den Tod Dutzender Menschen verantwortlich sein möchte.

wie man Palästinenser davon abhält, einen Zaun zu stürmen, ohne sie gleich zu erschießen

3. Donald Trump raushalten

Egal, was Sie tun, versuchen Sie stets, Donald Trump aus der Angelegenheit herauszuhalten. Er hat weder das nötige Feingefühl noch das Verständnis, um die Komplexität der Lage zu erfassen und mäßigend einzuwirken. Sollte er Ihnen dennoch etwas vorschlagen - wie etwa die Verlegung einer Botschaft, um Frieden zu schaffen - tun Sie stets das Gegenteil!

4. Schlagstöcke

Jemanden direkt mit einem Stock zu verprügeln ist unmenschlich und grausam. Niemand will das. Aber bevor Sie einem Menschen eine Kugel in den Körper jagen: Hauen Sie drauf! Natürlich wäre es besser, niemanden zu verhauen, aber bevor Sie zum Mörder werden – werden Sie zum Schläger!

5. Gummigeschosse

Wenn man es einfach nicht lassen kann, auf Menschen zu schießen: Wie wäre es mit Gummimunition? Die ist zwar sehr schmerzhaft und kann zu schweren Verletzungen führen, verursacht aber doch meist nicht den Tod der Beschossenen.

6. Erst scharf schießen, wenn wirklich Gefahr für Leib und Leben besteht

Es stimmt schon: Manchmal ist es nicht so einfach zu entscheiden, ob Ihr Gegenüber ein zweiköpfiges Monster ist, das versucht, Sie mit einem Schal zu erwürgen, oder doch nur zwei Kinder, aber einen Versuch ist es immer wert. Faustregel: Wenn es auf Seiten der Demonstranten 60 Tote und weit über 2000 Verletzte gibt, auf Ihrer Seite jedoch keine Verluste zu beklagen sind, dann könnte das ein Zeichen sein, dass Ihr Abzugsfinger womöglich zu locker war.

7. Verhandlungen, Friedensgespräche, Perspektive

Menschen ohne Perspektive in einer Art Freiluftgefängnis einzusperren sorgt nicht selten für Unmut. Versuchen Sie doch zumindest, irgendeine gemeinsame langfristige Lösung zu finden, die nicht aus perspektivlosem Eingesperrtsein besteht. Klar, das kommt auch immer auf den Willen der Gegenseite an, aber falls das nicht klappt, sind Sie ja trotzdem der Stärkere und können wieder auf Punkt 1 bis 6 zurückgreifen.

Endlich! HSV gelingt Qualifikation für Zweite Bundesliga

Hamburg (dpo) - Jahrelang haben sie darauf hingearbeitet, jetzt hat es endlich geklappt: Erstmals in seiner Geschichte hat sich der HSV für die Zweite Bundesliga qualifiziert. Beim letzten Saisonspiel reichte den Hamburgern vor heimischer Kulisse ein 2:1 gegen Borussia Mönchengladbach, um den Sprung in die zweithöchste Spielklasse zu schaffen.

»Diese Saison hat einfach die Gesamtleistung gepasst«, freut sich HSV-Präsident Bernd Hoffmann über den historischen Schritt seines Vereins. »Wir waren in den letzten Jahren ja mehrmals nahe dran, aber irgendwie fehlte am Ende immer das nötige Quäntchen Glück.«

Schon 2014 und 2015 stand der HSV kurz vor dem Einzug in die Zweite Liga, patzte jedoch in den Relegationsspielen gegen Fürth und Karlsruhe. Umso wichtiger für die Hamburger, dass ihnen diesmal gleich die direkte Qualifikation für Liga Zwei gelang – auch dank Schützenhilfe aus Köln.

Kein Wunder also, dass sich zum Ende des siegreichen Spiels gegen die Borussia auch die Hamburger Fans nicht mehr halten konnten und die Saisonleistung ihrer Mannschaft mit Pyrotechnik und Sprechchören feierten:

Ob der Verein das Niveau auch in der kommenden Saison halten kann, wird sich zeigen. »Wir hoffen natürlich, dass wir da dauerhaft mitmischen können«, so Hoffmann. »Schließlich sind wir der HSV. Wir verlassen eine Liga nicht so schnell, wenn wir einmal da sind.«

Ausländer unsicher, ob blonder Mann beim Bäcker anständiger Deutscher oder Christian Lindner ist

Berlin (dpo) - Ist er hier noch sicher? Ein Kunde mit Migrationshintergrund in einer Berliner Bäckerfiliale weiß derzeit nicht genau, ob ein blonder Mann in der Warteschlange vor ihm einfach nur ein rechtschaffener Bürger oder der FDP-Vorsitzende Christian Lindner ist.

»Das macht mich total nervös«, so Jemal Berhane aus Eritrea, der den verdächtigen, mittelgroßen Mann im Anzug nur von hinten sieht. »Man kann ja von hinten nicht unterscheiden, ob das ein hart arbeitender, anständiger Deutscher ist oder eben der Chef einer vermeintlich liberalen Partei, der versucht, Wahlkampf mit AfD-Sprüchen zu machen.«

Berhane ist durchaus bewusst, dass die allermeisten Deutschen einem ehrbaren Beruf nachgehen und es sich bei ihnen nicht um Christian Lindner handelt, doch ein gewisser Zweifel herrscht immer.

»Klar, wahrscheinlich ist das ein ganz normaler unbescholtener Bürger«, so der 24-Jährige, während er langsam in Richtung Ausgang zurückweicht. »Aber wenn es doch der Lindner ist, dann gerate ich in Panik. Am Ende kommt er noch her und will öffentlichkeitswirksam meine Hand schütteln, um zu zeigen, dass er kein Rassist ist.«

Der Mann kommt an die Reihe, kauft ein Bauernbrot und wirft das Restgeld in die Sammeldose für die Obdachlosenhilfe. Jemal Berhane entspannt sich: »Puh, jetzt bin ich aber erleichtert. Das war definitiv nicht Christian Lindner.«

RATGEBER

Alles, was Sie jetzt zum Ausstieg der USA aus dem Iran-Deal wissen müssen

Wieder einmal sorgt Donald Trump für Aufregung – und diesmal hat es nichts mit Pornodarstellerinnen oder Pussys zu tun: Der US-Präsident hat das Atomabkommen mit dem Iran aufgekündigt. Die Welt ist in Sorge – doch was verbirgt sich eigentlich genau hinter der Vereinbarung von 2015 und was passiert nun als Nächstes? Hier erfahren Sie alles, was Sie jetzt zum Ausstieg der USA aus dem Atomabkommen wissen müssen:

Was ist das Atom-Abkommen mit dem Iran?

Wahlweise die satanische Ausgeburt böswilliger Obama-Politik (laut Trump) oder der Garant für Stabilität im Nahen Osten (laut Rest der Welt). Schwer zu sagen.

Warum wurde das Atom-Abkommen abgeschlossen?

Nachdem die USA und Israel seit den 90ern davor gewarnt haben, dass der Iran nur noch wenige Monate vor der Fertigstellung einer Atombombe steht, entschloss man sich schließlich, das Land an den Verhandlungstisch zu holen, damit endlich Ruhe ist – offenbar in letzter Sekunde. Denn laut den USA und Israel stand der Iran zum Zeitpunkt des Vertragsabschlusses (2015) nur noch wenige Monate vor der Fertigstellung einer Atombombe.

Hat der Iran gegen das Atom-Abkommen verstoßen?

Nein, nicht ein einziges Mal – aus Sicht von Trump pure Provokation seitens des Iran, die einen Bruch des Vertrags umso nötiger machte.

Kann ich auch aus dem Atom-Abkommen mit dem Iran aussteigen?

Nein. Sie bleiben mal schön drin.

Was bedeutet die Beendigung des Atom-Abkommens für den Iran?

ای هتسه بمب تخاس

Warum wollte Donald Trump unbedingt aussteigen?

1. Der Deal galt als größter außenpolitischer Erfolg Obamas.

2. Nur so ist es dem Iran möglich, Atomwaffen zu bauen. Das wiederum ermöglicht den USA, Iran anzugreifen, weil das Land Massenvernichtungswaffen besitzen könnte.

Moment mal: Haben die USA den Iran nicht schon Mal angegriffen?

Nein. Zwar versuchten sie es mehrmals (1991, 2003), trafen aber versehentlich jedes Mal das sehr ähnlich klingende Nachbarland Irak. Aufgrund der wachsenden Spannungen zwischen den USA und Iran halten es

Experten für nicht unwahrscheinlich, dass die USA noch in diesem Jahr wieder den Irak angreifen.

War der Iran-Deal wirklich »der schlechteste Deal aller Zeiten« wie von Trump behauptet?

Nein. Der schlechteste Deal aller Zeiten war eine durch einen Schreibfehler zustandegekommene Abmachung aus dem Jahr 1623 zwischen dem Kaufmann Hans Pfirt und dem Bauern Wilderich Rainald aus Regensburg über die Lieferung von drei Fässern eingelegter Gurken zum horrenden Preis von 116.000 Gulden (heute ca. 15 Billiarden Euro).

Hat Donald Trump jetzt endgültig den Verstand verloren?

Nein, tatsächlich hat er bereits in früheren Jahren (1986, 1999, 2005 und 2017) seinen Verstand verloren.

Was bedeutet die Aufkündigung des Abkommens für den Ölpreis?

Denken Sie nicht immer nur ans Geld, Sie Schwein!

Wird es bald einen Atomkrieg geben?

Nur zwischen den USA und dem Iran. Umliegende Staaten betrifft der Streit nicht.

Ist Donald Trumps Friedensnobelpreis jetzt in Gefahr?

Nein. Donald Trumps Geschichte ist erst zu Ende, wenn er alle Ämter, Titel und Ehrungen dieser Welt erhalten hat.

Scholz weist Kritik zurück: »Ich mache überhaupt nicht alles genauso wie Schäuble!«

Berlin (dpo) - Die Kritik scheint ihm wirklich nahegegangen zu sein: Seit seinem Amtsantritt und noch mehr seit der Vorstellung seines ersten Staatshaushalts muss sich Olaf Scholz (SPD) immer wieder vorhalten lassen, dem Finanzministerium keine sozialdemokratische Prägung zu verleihen – stattdessen mache er praktisch dasselbe wie sein Vorgänger Wolfgang Schäuble (CDU). Nun wehrt sich Scholz mit deutlichen Worten gegen die Vorwürfe.

»Es stimmt überhaupt nicht, dass ich alles so mache wie Wolfgang Schäuble«, stellt Scholz klar, während er wütend mit der rechten Hand auf die Armlehne seines Rollstuhls schlägt. »Das ist eine haltlose Unterstellung! Mit meinem Vorgänger verbindet mich praktisch nichts!«

Kritische Nachfragen, warum er dann rigide an der »Politik der schwarzen Null« und der harten Griechenland-Linie seines Vorgängers festhalte, wollte Scholz anschließend nicht beantworten. Er brach das Gespräch mit den Worten »Isch over!« ab und rollte wütend davon.

Geht jetzt alles ganz schnell? David Hasselhoff offenbar nach Korea unterwegs

Los Angeles, Seoul (dpo) - Gibt es schon in wenigen Tagen nur noch ein Korea? Wie internationale Medien übereinstimmend berichten, befindet sich der US-Sänger und Schauspieler David Hasselhoff derzeit offenbar auf dem Weg zur koreanischen Halbinsel. Seine Ankunft am Flughafen Incheon in der Nähe von Seoul wird in den nächsten Stunden erwartet.

Hasselhoff soll sich gerade bei einer Autogrammstunde befunden haben, als er plötzlich aufschreckte. Zeugen berichten, dass der frühere *Baywatch*-Star in die Ferne blickte und dann rief: »The Hoff is needed!«

Dann soll er das Gebäude verlassen und ein Taxi zum Flughafen genommen haben, wo er seinen Privatjet bestieg.

Hasselhoffs Management bestätigte inzwischen, dass bereits am Samstag ein großes Konzert an der Mauer, die Nord- und Südkorea trennt, stattfinden soll. Unter anderem wolle der US-Star seinen Hit »Looking for Freedom« zum Besten geben.

Eingelenkt: Chinese ließ sich endlich wegen Rückenschmerzen behandeln

»Moment mal, man kann jemanden wegen Dieselbetrugs bestrafen?« – Deutsche Justiz völlig baff nach US-Anklage gegen Winterkorn

Stuttgart, Braunschweig, Ingolstadt (dpo) - Nach Bekanntwerden der US-Anklage gegen Ex-VW-Chef Martin Winterkorn wegen Verschwörung, Betrugs und Behinderung von Ermittlungen herrscht bei der deutschen Justiz ungläubiges Staunen: Offenbar ist es möglich, die Verantwortlichen für den Dieselbetrug nach eingehenden Ermittlungen einfach anzuklagen und zu bestrafen.

»Erst dachte ich: Völlig crazy, was die Amis da machen, sind die auf Drogen oder was?«, berichtet ein ranghoher deutscher Staatsanwalt. »Geht das einfach so, dass man Leute, die ihre Kunden millionenfach betrogen, sich unerlaubte Marktvorteile verschafft und die Umwelt sowie die Gesundheit aller Bürger wissentlich geschädigt haben, ohne weiteres zur Verantwortung zieht? Die USA sind tatsächlich das Land der unbegrenzten Möglichkeiten.«

Zwar wurde in Deutschland auch hier und da alibimäßig herumermittelt, doch ging es dabei bislang nur um Vorwürfe, dass VW-Aktionäre geschädigt wurden, oder gegen Angestellte im mittleren Management. Milliarden-Strafen oder gar Haftstrafen gegen Spitzenmanager wie in den USA und zahlreichen anderen Ländern blieben bislang komplett aus.

»Fast könnte man meinen, dass da niemand aus der Politik seine schützende Hand über den Konzern hält«, so der Staatsanwalt. »Nun müssen Sie mich aber entschuldigen. Ich muss Erzwingungshaft für einen Schwarzfahrer beantragen.«

Bleibt weiterhin auf freiem Fuß, weil er in Deutschland weder Haft noch Auslieferung an die USA befürchten muss: Martin Winterkorn

Fakir schafft es, nur einen einzelnen Kartoffelchip aus Packung zu essen

Neu-Delhi (dpo) - Das ist zuvor noch keinem Menschen gelungen: Der indische Fakir Haripal Viswansani hat heute vor laufenden Kameras einen einzigen Kartoffelchip aus einer frisch geöffneten Packung gegessen und saß dann mehrere Stunden lang schweigend da, ohne ein weiteres Mal in die Packung zu greifen.

»Der Typ ist absolut unglaublich«, erklärte ein Augenzeuge. »Ich habe gesehen, wie Viswansani über glühende Kohlen ging, wie er auf einem Nagelbett lag und wie er sich Holzspieße durch die Wangen stechen ließ, aber das hier toppt alles.«

Alleine das Zuschauen quälte manche Schaulustige so sehr, dass sie es nicht mehr aushielten und im nächsten Supermarkt eine Tüte Chips kaufen mussten.

Doch wie schaffte der 56-jährige Asket sein unglaubliches Kunststück? Was viele Zuschauer für übernatürliche Kräfte halten, ist laut der Psychologin Marina Rothermel lediglich eine Frage des Trainings: »Fakire wie Viswansani können Wochen damit verbringen, sich auf eine einzige Aufgabe wie ›Iss keinen weiteren Chip‹ zu konzentrieren und alles andere zu ignorieren«, erklärt sie.

Selbst Haripal Viswansani wäre beim Training für sein Kunststück fast an Herzverfettung gestorben, da er in den ersten Monaten bis zu 130 Chipstüten pro Tag leer aß, bis er den Trick endlich gemeistert hatte.

Erst nach vier Stunden und 32 Minuten übermannte den Fakir die Gier nach dem zweiten Chip, woraufhin er die gesamte restliche Packung in etwa 20 Sekunden verschlang.

Ein normaler Mensch hat oft bereits Probleme, nach der ersten Tüte Chips aufzuhören.

Weil Milch im Kühlschrank alle war: HSV-Ultra zündet Bengalos und zerstört Küche

Hamburg (dpo) - Es war ein hartes Wochenende für Dennis Ziegler. Nachdem sein geliebter Verein zum ersten Mal in der Geschichte in die zweite Liga abstieg, musste der überzeugte HSV-Ultra auch noch feststellen, dass die Milch in seinem Kühlschrank alle war. Kurzerhand löste er das Problem in bewährter Weise, indem er mehrere Bengalos zündete.

»Was hätte ich auch anderes machen sollen«, rechtfertigt sich der 23-Jährige, während er in den Trümmern seiner verwüsteten Küche steht. »Ich hatte Durst und ging zum Kühlschrank, um mir ein Glas Milch einzuschenken. Aber da sah ich, dass die Packung komplett leer war!«

Ziegler reagierte sofort. Er brüllte so laut er konnte »H-Milch aus! H-Milch aus!«, zündete mehrere Bengalos und trat alles kurz und klein.

Unangemessen findet er seine Reaktion nicht: »Oder gibt es etwa noch andere Wege, wie ein erwachsener Mensch mit einem Rückschlag umgehen kann? Hätte ich etwa darüber nachdenken sollen, warum da keine Milch ist? Oder wie ich neue Milch in den Kühlschrank bekomme? Nee, nee, nicht mit mir!«

Als schließlich seine Mutter die Küche betrat und ihm plötzlich mehrtägiger Zimmerarrest drohte, flüchtete der mutige HSV-Ultra Hals über Kopf.

Nicht geerdet: Elektriker bekommt Seebestattung

Berlin (dpo) - Jetzt ist er wieder wie neu: Ein Mann aus Potsdam hat sich ein Wattestäbchen versehentlich so tief ins Ohr gesteckt, dass er sich selbst auf Werkseinstellungen zurücksetzte. Nun muss der 28-Jährige Fähigkeiten wie Sprechen, Gehen oder eigenständiges Essen von Neuem erlernen. Experten stehen vor einem Rätsel.

Da Sebastian M. bereits seit Stunden begeistert dabei ist, Formen den passenden Öffnungen zuzuordnen, berichtet seine Frau Stefanie (29) von dem verhängnisvollen Unglück.

Wattestäbchen zu tief ins Ohr gesteckt: Mann setzt sich versehentlich auf Werkseinstellung zurück

»Eigentlich wollte er sich nur die Ohren reinigen, das macht er öfters so, obwohl ich immer sage: Man soll das nicht mit Wattestäbchen machen. Aber diesmal ist er plötzlich zusammengebrochen und hat nur noch vor sich hin gebrabbelt. Ich wusste gar nicht, was los war.«

Das konnte erst eine Expertengruppe aus Ärzten, Psychologen sowie einem Angestellten eines Telekom-Kundencenters beantworten, die den in der Medizingeschichte bisher einzigartigen Fall untersuchen. »Der Patient scheint am Ende seines Gehörgangs einen in der Forschung noch unbekannten Triggerpunkt durch 10-sekündiges Drücken aktiviert zu haben, der seine gesamten motorischen sowie kognitiven Fähigkeiten wieder auf Werkseinstellungen zurückgesetzt hat«, erklärt Neurologe Michael Grömcke, der die Expertengruppe leitet. »Er ist jetzt also quasi wieder ein Säugling kurz nach der Geburt.«

Hoffnung auf schnelle Genesung gibt es laut Grömcke nicht. »Erste Behandlungsansätze wie Elektrotherapie und Hypnose haben bislang nicht gewirkt. Da Herr M. seit seiner Geburt offenbar nie ein Back-up gemacht hatte, bleibt ihm wohl nichts übrig, als alles wieder neu zu erlernen.« In rund 20 Jahren werde der Patient jedoch wieder ganz der Alte sein.

Auch das Essen muss Sebastian M. wieder neu erlernen:

Stefanie M. lässt sich von der Diagnose für ihren Mann nicht entmutigen, sieht es sogar positiv: »Ach wissen Sie, eigentlich habe ich mir schon immer ein Kind gewünscht. Und wer hätte nicht gerne die Chance, seinen Partner nach den eigenen Vorstellungen noch einmal ganz neu zu erziehen?«

Ein unangenehmer Geruch breitet sich aus: »Oh. Jetzt müssen Sie mich aber entschuldigen. Ich muss mal eben Sebastians Windel wechseln.«

mit essentiellem Kernteam

Alexander Bayer, Dan Eckert, Philipp Feldhusen und Peer Gahmert (eine-zeitung.net)

mit wertvollen weiteren Beiträgen

Daniel Al-Kabbani (creaversity.de), Ernst Jordan, Max Kegler und Marius Hühne (facebook.com/haenselblatt), Manuel Krons-Drewello (mutti-der-libero.de), Mark und Andrea Luttkus, David Nießen (davidniessen.de), Cornelius Oettle, Bernhard Pöschla (kojote-magazin.de), Selim Polat (facebook.com/gazetteur), Christian Schmya (zynismus24.de), Sebastian Wolking (about.me/sebastian.wolking)

mit dem Besten aus redaktioneller Mitarbeit

Jennifer Schetter

mit gesunden Newstickern

?, adl, b&b, bdi, ber, ca8, cob, dba, der, dwu, ech, evw, fah, frcx, gal, gru, hh, hpa, hso, hun, hvo, ima, jan, jlo, jok, kali, kli, klo, kly, kol, kop, kro, kuh, len, loc, lou, luk, mar, marc, mas, mdk, mik, mni, mok, mvp, oga, oko, p2k, pete, pi, pra, psi, pza, q, rag, rav, rba, rbo, rde, rma, sch, shu, sid, sod, spe, sta, step, stv, sul, sum, tei, tim, tom, tsc, tsi, wwe, wye, zee, zpe,

* Kann Spuren von Heuchelei enthalten.

Kunstwerk des Jahres:

Seite 7: Robynrg/Shutterstock.com, travelview/Shutterstock.com, Pixabay.com; Seite 9: Oliver Hoffmann/Shutterstock.com; Seite 10: Valentin Mosichev/Shutterstock.com, Iakov Filimonov/Shutterstock.com, cdrin/Shutterstock.com; Seite 11: Vgstockstudio/Shutterstock.com; Seite 12: Pixabay.com, Wikimedia CC; Seite 13: Lucky Business/Shutterstock.com, Steven Bostock/Shutterstock.com; Seite 14: Pixabay.com, Wikimedia CC, Kreuzschnabel (Wikimedia CC); Seite 15: picture alliance/blickwinkel, Pixabay.com; Seite 16: Africa Studio/Shutterstock.com, Monkey Business Images/Shutterstock.com; Seite 17: Wikimedia CC, solarseven/Shutterstock.com; Seite 18: Masalski Maksim/Shutterstock.com, Pixabay.com; Seite 19: Syda Productions/Shutterstock.com; Seite 20: ALPA PROD/Shutterstock.com; Seite 21: Ruslan Guzov/Shutterstock.com, BeeBright/Shutterstock.com; Seite 22: Dima Moroz/Shutterstock.com, Kike Fernandez/Shutterstock.com; Seite 23: picture alliance/ZUMA Press, arkivanov/Shutterstock.com; Seite 24: pavla/Shutterstock.com, StepanPopov/Shutterstock.com; Seite 25: Oakozhan/Shutterstock.com, Syda Productions/Shutterstock.com, pavla/Shutterstock.com; Seite 26: Lapina/Shutterstock.com, Dmytro Zinkevych/Shutterstock.com; Seite 27: tommaso79/Shutterstock.com, dpa; Seite 28: Privatbrauerei Gaffel (Wikimedia CC), zieusin/Shutterstock.com; Seite 29: wavebreakmedia/Shutterstock.com, maxuser/Shutterstock.com; Seite 30: KorArkaR/Shutterstock.com, Billion Photos/Shutterstock.com, Kokliang/Shutterstock.com; Seite 31: Kzenon/Shutterstock.com; Seite 32: Rainer Fuhrmann/Shutterstock.com, Wikimedia CC, MIKI Yoshihito (Wikimedia CC), Evgeny Murtola/Shutterstock.com; Seite 33: „Awasada Kalayanamit/Shutterstock.com, Denys Prykhodov/Shutterstock.com, Martchan/Shutterstock.com; Seite 34: Shutterstock.com, Ruslan Guzov/Shutterstock.com, Vania Tonova/Shutterstock.com; Seite 35: stopabox/Shutterstock.com, picture alliance/dpa; Seite 36: ArtFamily/Shutterstock.com, EddieHernandezPhotography/Shutterstock.com, Pixabay.com; Seite 37: ANURAKE SINGTO-ON/Shutterstock.com; Seite 38: Alexander Raths/Shutterstock.com, Alexander Raths/Shutterstock.com, Pixabay.com, Alexander Raths/Shutterstock.com; Seite 39: Pixabay.com, rainbow33/Shutterstock.com; Seite 40: Suwin/Shutterstock.com, sirano100/Shutterstock.com; Seite 41: Jelena Aloskina/Shutterstock.com, Pixabay.com, catwalker/Shutterstock.com; Seite 42: Elena Elisseeva/Shutterstock.com; Seite 43: Kues/Shutterstock.com, Pawel Kazmierczak/Shutterstock.com; Seite 44: gyn9037/Shutterstock.com, RikoBest/Shutterstock.com; Seite 45: Ewa Studio/Shutterstock.com; Seite 46: Nick Fedirko/Shutterstock.com, Just dance/Shutterstock.com; Seite 47: Ljupco Smokovski/Shutterstock.com, Alexander Obst/Marion Schmieding (Flughafen Berlin Brandenburg GmbH); Seite 48: lanych/Shutterstock.com, Matthias Stolt (Adobe Stock), Volodymyr Baleha/Shutterstock.com, Pixabay.com, Volodymyr Baleha/Shutterstock.com, Pixabay.com; Seite 49: IndustryAndTravel/Shutterstock.com, Zdorov Kirill Vladimirovich/Shutterstock.com, Antonio Guillem/Shutterstock.com, Maren Winter/Shutterstock.com; Seite 50: Dean Drobot/Shutterstock.com, AVAVA/Shutterstock.com; Seite 51: Dmitry Birin/Shutterstock.com, Pixabay.com, rainbow33/Shutterstock.com, Pixabay.com; Seite 52,53: Apple, FocusStocker/Shutterstock.com, Produktbild iPhone, Produktbild Apple, Produktbild Android, iofoto/Shutterstock.com, Produktbild Apple, Pressevideo Apple, Produktbild Apple, igorstevanovic/Shutterstock.com; Seite 54: Jelena Aloskina/Shutterstock.com, Pixabay.com, marco mayer/Shutterstock.com, Pixabay.com; Seite 55: Sarit Wuttisan/Shutterstock.com; Seite 56: dpa; Seite 57: Gage Skidmore (Wikimedia CC), prapann/Shutterstock.com, M Sosnowska/Shutterstock.com, Julia Sanders/Shutterstock.com, Ljupco Smokovski/Shutterstock.com; Seite 58: nullplus/Shutterstock, Pixabay.com, Borkin Vadim/Shutterstock.com; Seite 59: MBLifestyle/Shutterstock.com,Tinseltown/Shutterstock.com; Seite 60: picture alliance/Eventpress, Kdonmuang/Shutterstock.com; Seite 61: picture alliance/AP Photo, HazteOir.org (Wikimedia CC); Seite 62: Nicole S Glass/Shutterstock.com; Seite 63: Alena Ozerova/Shutterstock.com, sarasin banyen/Shutterstock.com; Seite 64: SN-Photography/Shutterstock.com, Kzenon/Shutterstock.com; Seite 65: Alexander Ishchenko/Shutterstock.com, Breslavtsev Oleg/Shutterstock.com; Seite 66: Cameron Strandberg (Wikimedia CC); Seite 67: Pixabay.com, ESB Professional/Shutterstock.com; Seite 68: Pixabay.com, Yiorgos GR/Shutterstock.com; Seite 69: KikoStock/Shutterstock.com, Lek Changply/Shutterstock.com; Seite 70: Rungsan Sununta/Shutterstock.com, Vladimir Borozenets/Shutterstock.com; Seite 71: FamVeld/Shutterstock.com, Alena Ozerova/Shutterstock.com, Alena Ozerova/Shutterstock.com; Seite 72: Kamenetskiy Konstantin/Shutterstock.com, Wikimedia CC, Produktbild Smart; Seite 73: Evgeny Atamanenko/Shutterstock.com, Petinov Sergey Mihilovich/Shutterstock.com, Frank Gaertner/Shutterstock.com; Seite 74: Syda Productions/Shutterstock.com; Seite 75: Gelpi/Shutterstock.com, Ljupco Smokovski/Shutterstock.com, Stockforlife/Shutterstock.com, Poznyakov/Shutterstock.com; Seite 76: Photographee.eu/Shutterstock.com, Pixabay.com, Vandathai/Shutterstock.com,Wikimedia CC; Seite 77: Deyan Georgiev/Shutterstock.com, Hekla/Shutterstock.com, McGraw/Shutterstock.com, Pixabay.com; Seite 78: Photographee.eu/Shutterstock.com; Seite 79: , ASDF_MEDIA/Shutterstock.com, Gemenacom/Shutterstock.com; Seite 80: Joerg Huettenhoelscher/Shutterstock.com; Seite 81: dpa; Seite 82: Logos Greenpeace, UN; Seite 83: Ingus Kruklitis/Shutterstock.com, Alexander Lukatskiy/Shutterstock.com, Poznyakov/Shutterstock.com; Seite 84: WeAre/Shutterstock.com, WeAre/Shutterstock.com; Seite 85: picture alliance/dpa Themendienst, lisal1983/Shutterstock.com; Seite 86: Oscar Moncho/Shutterstock.com, Olena Yakobchuk/Shutterstock.com, Greg L (Wikimedia CC), Seite 87. Bystrov/Shutterstock.com, Elnur/Shutterstock.com, Maksim Toome/Shutterstock.com, Anton Watman/Shutterstock.com; Seite 88: Pixabay.com, txking/Shutterstock.com; Seite 89: dpa, SPD; Seite 90: Monkey Business Images/Shutterstock.com, FDP, FDP; Seite 91: Syda Productions/Shutterstock.com; Seite 92: alexandrovskyi/Shutterstock.com, Pixabay.com; Seite 93: frankvessia/Shutterstock.com, Kozlik/Shutterstock.com, Sovastock/Shutterstock.com, torbakhopper (Wikimedia CC); Seite 95: Creative Photo Corner/Shutterstock.com, Wikimedia CC; Seite 97: Wikimedia; Seite 98: Narongsak Nagadhana/Shutterstock.com, Pixabay.com, trancedrumer/Shutterstock.com; Seite 99: wellphoto/Shutterstock.com; Seite 100,101: dpa, Apple; Seite 102: picture alliance/Photoshot; Seite 103: WAYHOME studio/Shutterstock.com; Seite 104: Pressematerial Christian Lindner; Seite 105: dpa; Seite 106,107: AA/dpa; Seite 108: dpa; Seite 109: NordStock/Shutterstock.com; Seite 110: Ariwasabi/Shutterstock.com, DUSAN ZIDAR/Shutterstock.com, Ljupco Smokovski/Shutterstock.com, Tom Wang/Shutterstock.com; Seite 111: Elke Wetzig (Wikimedia CC), DisobeyArt/Shutterstock.com, Times (Wikimedia CC); Seite 112: dpa-Report, infjustice/Shutterstock.com, Pixabay.com, Stuart Monk/Shutterstock.com; Seite 113: Günter Wicker/Flughafen Berlin Brandenburg GmbH, LightField Studios/Shutterstock.com, Alexandre Rotenberg/Shutterstock.com, Pixabay.com; Seite 114: esc/MdL, BEN Rijks (Wikimedia CC); Seite 115: dpa, Dirk Knofe/LVZ, Tomas Moll; Seite 116: Kzenon/Shutterstock.com, Kzenon/Shutterstock.com, Kzenon/Shutterstock.com, Elnur/Shutterstock.com, Kzenon/Shutterstock.com, Kzenon/Shutterstock.com; Seite 117: Zetar Infinity/Shutterstock.com; Seite 118: Pixabay.com, Pixabay.com; Seite 119: Will Rodrigues/Shutterstock.com; Seite 120: Tishchenko Dmitrii/Shutterstock.com, karnizz/Shutterstock.com, Philip Lange/Shutterstock.com; Seite 121: Fer Gregory/Shutterstock.com, unterwegs/Shutterstock.com, Pressmaster/Sutterstock.com; Seite 122: Pixabay.com, Produktbild Jägermeister; Seite 123: SeventyFour/Shutterstock.com; Seite 124: Maria Symchych/Shutterstock.com, Africa Studio/Shutterstock.com; Seite 125: Johannes Barre (Wikimedia CC); Seite 126: gmstockstudio/Shutterstock.com; Seite 127: photocosmos1/Shutterstock.com; Seite 128: dpa, Adler_Photography/Shutterstock.com, tommaso79/Shutterstock.com; Seite 129: Wikimedia CC, Kostsov/Shutterstock.com; Seite 130: dpa, Joerg Huettenhoelscher/Shutterstock.com, txking/Shutterstock.com, Joerg Huettenhoelscher/Shutterstock.com; Seite 131: dpa; Seite 132: Grekov's/Shutterstock.com, Pixabay.com, Sarawoot Pengmuan/Shutterstock.com, Pixabay.com, Pixabay.com; Seite 133: digitalskillet/Shutterstock.com; Seite 134: wernerimages 2018/Shutterstock.com, Pixfiction/Shutterstock.com,stockphoto-graf/Shutterstock.com; Seite 135: Pixabay.com, Hans Dieter Seufert; Seite 136: David MG/Shutterstock.com; Seite 137: ARTYOORAN/Shutterstock.com, Olaf Kosinsky/kosinsky.eu; Seite 138: Eric Isselee/Shutterstock.com, ssuaphotos/Shutterstock.com, wavebreakmedia/Shutterstock.com, Eric Isselee/Shutterstock.com, testing/Shutterstock.com, conrado/Shutterstock.com, Eric Isselee/Shutterstock.com, Seite 139. Luis Santos/Shutterstock.com, Pressmaster/Shutterstock.com; Seite 140: India Picture/Shutterstock.com, Produktbild Durex; Seite 141: Christopher Halloran/Shutterstock.com, nikolae/Shutterstock.com; Seite 142: Mussklprozz (Wikimedia CC), Günter Wicker/Flughafen Berlin Brandenburg GmbH, East/Shutterstock.com; Seite 143: Vladimiroquai/Shutterstock.com; Seite 144: Ververidis Vasilis/Shutterstock.com, Nomad_Soul/Shutterstock.com, Tim Reckmann (Wikimedia CC); Seite 145: Wikimedia CC, Gregor Fischer (Wikimedia CC); Seite 146: Lonely/Shutterstock.com, Narongsak Nagadhana/Shutterstock.com, Resul Muslu/Shutterstock.com, trancedrumer/Shutterstock.com; Seite 147: Marcos Mesa Sam Wordley/Shutterstock.com, Marcos Mesa Sam Wordley/Shutterstock.com, Marcos Mesa Sam Wordley/Shutterstock.com; Seite 148: lev radin/Shutterstock.com, Pixabay.com, Steve Rainwater (Wikimedia CC); Seite 149: AP Photo/dpa, Pixabay.com, Vastram/Shutterstock.com, PeterVrabel/Shutterstock.com; Seite 150: dpa, Hedgehog/Fotolia.com; Seite 151: Africa Studio/Shutterstock.com, Pixabay.com; Seite 152,153: , imagedb.com/Shutterstock.com, antoniodiaz/Shutterstock.com, TonyV3112/Shutterstock.com, PATIWIT HONGSANG/Shutterstock.com, Rainer Fuhrmann/Shutterstock.com, guruXOX/Shutterstock.com; Seite 154: David Acosta Allely/Shutterstock.com, FCG/Shutterstock.com, Natursports/Shutterstock.com, Abdul Razak Latif/Shutterstock.com; Seite 155: Frederic Legrand - COMEO/Shutterstock.com, Starikov Pavel/Shutterstock.com; Seite 156: batjaket/Shutterstock.com, pio3/Shutterstock.com; Seite 157: Andrey_Popov/Shutterstock.com, LightField Studios/Shutterstock.com, picture alliance/robertharding,Viorel Sima/Shutterstock.com; Seite 158: ArtOfPhotos/Shutterstock.com, Pawel Mazur/Shutterstock.com; Seite 159: photocosmos1/Shutterstock.com; Seite 160: picture alliance/Pressefoto Ulmer; Seite 161: Occidental Grand Aruba (Wikimedia CC), photocosmos1/Shutterstock.com; Seite 162: PRESSLAB/Shutterstock.com, Darren Baker/Shutterstock.com; Seite 163: aodaodaodaod/Shutterstock.com, Marius Pirvu/Shutterstock.com, Shtarev Alexey/Shutterstock.com, Vandathai/Shutterstock.com; Seite 164: Kitch Bain/Shutterstock.com, SIN1980/Shutterstock.com; Seite 165: leungchopan/Shutterstock.com,Tyler Olson/Shutterstock.com, Tyler Olson/Shutterstock.com; Seite 166: dpa, g-stockstudio/Shutterstock.com; Seite 167: Innenministerium, Africa Studio/Shutterstock.com; Seite 168: picture alliance/Foto Huebner; Seite 169: Intel.nl/Shutterstock.com, chayakorn lotongkum/Shutterstock.com; Seite 170: Ruslan Shugushev/Shutterstock.com; Seite 171: Michael Candelori/Shutterstock.com; Seite 172: , Africa Studio/Shutterstock.com; Seite 173: karnizz/Shutterstock.com, travelview/Shutterstock.com; Seite 174: Alexyz3d/Shutterstock.com, Kaliva/Shutterstock.com, Ivan Cholakov/Shutterstock.com; Seite 175: Wikimedia CC; Seite 176: Pixabay.com, Freepik.com; Seite 177: Africa Studio/Shutterstock.com, Pixabay.com; Seite 178: Pixabay.com, Twitteraccount Markus Söder; Seite 179: Pixabay.com, Toukung design/Shutterstock.com; Seite 180,181: ChameleonsEye/Shutterstock.com, deepspace/Shutterstock.com, Alexandros Michailidis/Shutterstock.com, Sergey Rusanov/Shutterstock.com, Andrii Zastrozhnov/Shutterstock.com, dominika zarzycka/Shutterstock.com, Gts/Shutterstock.com; Seite 182: picture alliance/Sven Simon, picture alliance/Sven Simon; Seite 183: ASDF_MEDIA/Shutterstock.com, ESB Professional/Shutterstock.com, stockfour/Shutterstock.com, stockyimages/Shutterstock.com; Seite 185: Lisa F. Young/Shutterstock.com, zhu difeng/Shutterstock.com, Alexandros Michailidis/Shutterstock.com; Seite 186: Jag_cz/Shutterstock.com,Markus Wissmann/Shutterstock.com; Seite 187: pathdoc/Shutterstock, wavebreakmedia/Shutterstock.com, Volkswagen AG (Wikimedia CC); Seite 188: Zzvet/Shutterstock.com, B-D-S Piotr Marcinski/Shutterstock.com; Seite 189: Denise KappaVlasov/Shutterstock.com, Yevhenii/Shutterstock.com; Seite 190: Pixabay.com, ShotPrime Studio/Shutterstock.com, Zivica Kerkez/Shutterstock.com, ShotPrime Studio/Shutterstock.com; Seite 192: Macrovector/Shutterstock.com

»BLEIWÜSTE IN SCHWARZ«

Der Bildnachweis

Arbeit rennt ihm nicht weg: Arzt in Amputierten-Reha macht Feierabend